주머니에 쏙~

가을 겨울 꽃식물 찾기

길가나 산기슭

숲 속

물가나 습지 · 바닷가

주머니에 쏙~

계절별 꽃식물 시리즈 (전3권)

1 봄 꽃식물 찾기

- 고경식 · 김명화 · 서재철 · 구자익
- 150×75mm • 228 페이지
- 정가 12,000원 • 총 205종

2 여름 꽃식물 찾기

- 고경식 · 김명화 · 서재철 · 구자익
- 150×75mm • 328 페이지
- 정가 15,000원 • 총 302종

3 가을 겨울 꽃식물 찾기

- 고경식 · 김명화 · 서재철 · 구자익
- 150×75mm • 204 페이지
- 정가 12,000원 • 총 180종

[머리말]

우리 회사에서 간행된 『한국의 야생식물』이 여러 대학교와 연구기관 그리고 일반 독자들에게 많은 사랑을 받아 2003년에는 문화관광부 우수학술도서로 선정되는 영예를 안았다.

이 책은 『한국의 야생식물』을 토대로 우리나라 산과 들에서 볼 수 있는 야생꽃과 초등학교 교과서에 나오는 식물들을 전부 분석하여 『봄 꽃식물』, 『여름 꽃식물』, 『가을 · 겨울 꽃식물』을 계절별로 분류 · 보완하여 만들었다.

따라서 이 책을 통해 누구나 꽃이 피는 식물과 나무에 대해 쉽고 재미있게 이해할 수 있게 하였으며, 또한 휴대하기 좋은 판형으로 만들어 언제 어디서나 가지고 다니면서 활용할 수 있도록 하였다.

산기슭을 올라 중턱을 지나고 숲 속을 걷다가 또는 강가나 바닷가를 거닐다 어떤 꽃식물이 궁금할 때, 이 책을 펼치면 꽃이 피는 시기와 장소, 열매, 꽃에 대한 전설, 이름의 유래, 약초로서의 효능까지 그간의 숨은 이야기들을 들려줄 것이다.

나아가 이 책이 자연의 소박한 아름다움은 물론, 자연환경을 연구하는 계기가 되기를 바라며, 출간에 협조하여 주신 사진작가 여러 선생님께 감사드린다.

2010년 새봄

엮은이

[차 례]

길가나 산기슭

가을강아지풀 Setaria faberi [벼과]

꽃차례는 길이 5~10cm이며, 금강아지풀이나 강아지풀과는 달리 끝이 밑으로 처진다.

잎은 길이 30cm, 폭 1.5cm이며, 밑부분이 급격히 좁아지지 않고 표면에 흔히 털이 있다. 잔이삭은 길이 3mm 정도이고, 수가 적으며 빽빽하게 모여 있지 않다.

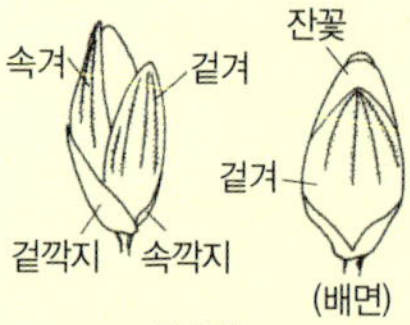

잔이삭

* 한해살이풀
* 줄기 : 1~1.5m
* 개화 : 8~10월
* 열매 : 영과

들꽃 이야기

평지 길가나 빈터에서 자란다. 이삭이 강아지 꼬리처럼 생겨 강아지풀이라고 부른다. 키도 강아지풀보다 크고, 이삭도 강아지풀이나 금강강아지풀보다 길다.

개솔새 Cymbopogon tortilis var. goeringii [벼과]

줄기는 가늘고 털이 없다. 잎은 선모양이며 털이 없다.

줄기 윗부분의 잎겨드랑이에 여러 개의 잔이삭이 술모양꽃차례를 이룬다. 잔이삭은 녹색 또는 자주색이다. 밑부분의 자루가 없는 잔이삭은 수꽃이며, 윗부분의 자루가 있는 잔이삭은 양성이다. 꽃밥은 검은색이다.

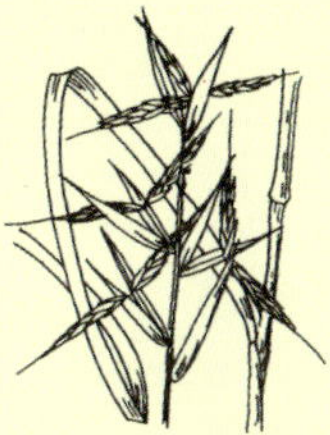

꽃차례와 잎의 일부

* 여러해살이풀
* 줄기 : 1m 정도
* 개화 : 8~9월
* 열매 : 영과

들꽃 이야기 *산과 들의 건조지에서 자란다. 한방에서 풀 전체를 '야향모'라고 하여 약재로 쓰는데, 여름철이나 흐린 가을날 이른 아침에 채취한다. 비슷한 종으로 솔개가 있다.*

개싸리 Lespedeza tomentosa [콩과]

줄기에 황갈색 털이 빽빽하다. 잎은 어긋나고, 3출 겹잎이며 작은 잎은 회백색이고 갈색 털이 촘촘하다.

황백색 꽃은 술모양 꽃차례를 이룬다. 꽃받침은 5개로 깊게 갈라지고 끝이 뾰족하다. 꼬투리는 둥글고, 그물모양의 맥과 갈색 털로 덮여 있다.

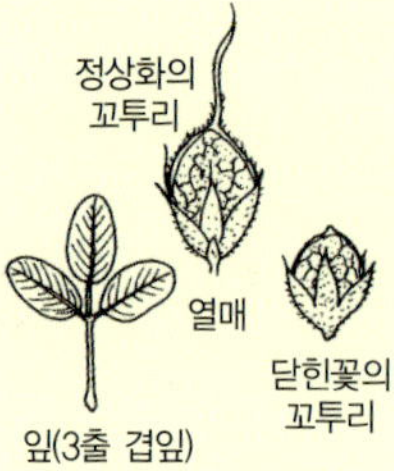

* 여러해살이풀
* 줄기 : 1~1.5m
* 개화 : 8~9월
* 열매 : 꼬투리

들꽃 이야기

산기슭의 풀밭이나 바닷가, 강가 모래땅에서 자란다. 비슷한 종으로는 '좀싸리'가 있는데, 가축의 사료로 쓰며 가을의 밀원식물이다.

개여뀌 Persicaria longiseta [마디풀과]

줄기에 털이 없고 밑부분은 비스듬히 땅을 기며 많은 가지가 갈라진다. 잎은 어긋나고 넓은 피침형이다. 턱잎은 칼집모양이고, 끝부분에 긴 털이 있다.

꽃은 줄기나 가지 끝에 이삭모양 꽃차례를 이룬다. 꽃받침은 5개로 갈라지고 붉은색이나 흰색인 것도 있다.

* 한해살이풀
* 줄기 : 20~50cm
* 개화 : 6~9월
* 열매 : 수과

들꽃 이야기 *빈터나 논밭에서 자란다. 잎과 줄기를 찧어 냇물에 띄우면 물고기들이 기절해서 물 위로 떠올라 '어독초'라고도 부른다. 이삭을 입에 대면 화한 느낌이 돈다.*

고들빼기 Youngia sonchifolia [국화과]

줄기 윗부분에서 많은 가지가 갈라지고, 자르면 흰 유액이 나온다. 뿌리에서 난 잎은 깃모양으로 갈라지고 잎자루가 없다. 줄기잎은 잎몸이 갈라지지 않고 밑부분이 줄기를 둘러싼다.

노란 혀꽃만인 머리모양 꽃차례 여러 개가 줄기 끝에 산방모양을 이룬다.

* 한두해살이풀
* 줄기 : 30~70cm
* 개화 : 5~10월
* 열매 : 수과

들꽃 이야기 *풀밭이나 빈터에서 자란다. '씬나물'이라고도 한다. 어린잎과 뿌리는 김치를 담가 먹거나 나물로 먹으며, 민간에서 풀 전체를 약재로 쓰기도 한다.*

고마리 Persicaria thunbergii [마디풀과]

줄기 밑부분은 비스듬히 옆으로 벋으며 아래로 향한 가시가 있고, 윗부분은 비스듬히 선다. 잎은 어긋나고 길이 5~10cm이며, 밑부분은 좌우로 길게 갈라져 화살촉모양이다.

연분홍색이나 흰색 꽃이 줄기 끝에 머리모양 꽃차례로 핀다. 꽃받침은 5개로 깊게 갈라진다.

* 한해살이풀
* 줄기 : 60~80cm
* 개화 : 8~9월
* 열매 : 수과

들꽃 이야기 *도랑이나 산속 물가에서 자란다. 뿌리가 물을 정화시키는 역할을 하여 고마운 식물이라는 뜻으로 '고마운이'로 불리다가 고마리가 되었다고 한다.*

국화 Chrysanthe mummorifolium [국화과]

겨울에 줄기가 말라죽고 뿌리로 겨울을 난다. 잎은 어긋나고 깃모양으로 갈라진다.

꽃은 머리모양 꽃으로 줄기 끝에 피는데 가운데는 대롱꽃, 주변은 혀꽃이다. 꽃 지름은 작은 것이 1cm, 큰 것이 10cm 이상이다. 혀꽃은 암술만 있고 대롱꽃은 암 · 수술이 모두 있다.

* 여러해살이풀
* 줄기 : 1m 정도
* 개화 : 10~11월
* 열매 : 수과

들꽃 이야기 *산과 들에서 자란다. 관상용으로 재배하며, 원예 품종이 많다. '국, 구화'라고도 한다. 꽃 지름이 15cm 이상을 대륜(대국), 7cm 이상을 중륜(중국), 그 이하를 소륜(소국)이라고 한다.*

그령 Eragrostis ferruginea [벼과]

줄기는 곧게 서고 털이 없다. 잎은 길이 20~40cm이고, 잎집 끝에 흰 털이 촘촘하다.

원뿔 꽃차례에 여러 개의 잔이삭이 달린다. 꽃차례 가지에서 갈라진 잔이삭자루 중간에 노란 샘점이 1개 있다. 잔이삭은 편평하고 5~10개의 잔꽃으로 이루어지며 적자색을 띤다.

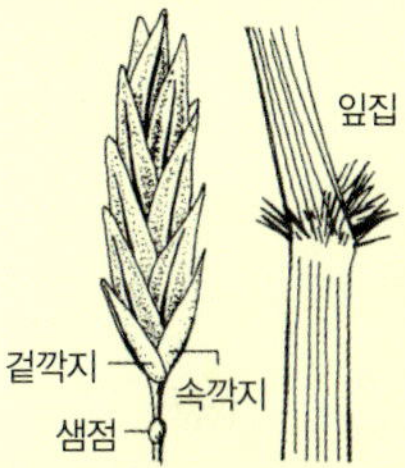

* 여러해살이풀
* 줄기 : 30~80cm
* 개화 : 8~10월
* 열매 : 영과

들꽃 이야기 *길가나 빈터에서 자란다. '암크령, 지풍초'라고도 한다. 농가에서 풀 전체를 가축의 사료로 이용하며, 잎은 새끼의 대용으로 쓴다.*

금강아지풀 Setaria glauca [볏과]

줄기 밑부분에서 가지가 갈라진다. 잎은 강아지풀보다 폭이 좁고 흰빛이 도는 녹색이다.

가을강아지풀과 강아지풀은 잎집과 잎혀에 털이 있으나, 금강아지풀은 털이 없다. 줄기 윗부분에 원기둥모양의 이삭 꽃차례를 이룬다. 잔이삭은 흰빛이 돌고 까끄라기는 황금색이다.

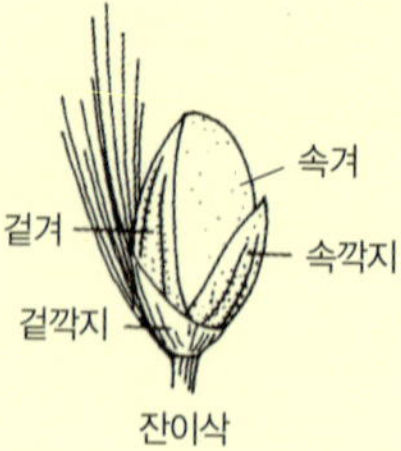

* 한해살이풀
* 줄기 : 50~90cm
* 개화 : 8~10월
* 열매 : 영과

들꽃 이야기 *평지 길가나 밭둑, 볕이 잘 드는 풀밭에서 자란다. 농가에서 풀 전체를 가축의 사료로 이용하며, 씨는 집에서 기르는 새에게 먹이로 준다. 우리나라 특산종이다.*

금방동사니 Cyperus microiria [사초과]

줄기 밑부분에 1~3개의 잎이 있다. 꽃차례 밑에 3~4개의 잎처럼 생긴 포엽이 있고 그 중 1~2개는 꽃차례보다 길다.

10~20개의 잔꽃으로 이루어진 잔이삭이 가지 끝에 모여 달린다. 잔이삭의 비늘조각은 황갈색이고, 중앙맥의 끝이 길고 뾰족하다.

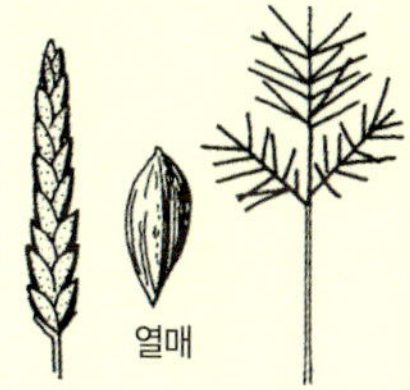

* 한해살이풀
* 줄기 : 20~30cm
* 개화 : 8~10월
* 열매 : 수과

들꽃 이야기 *평지 길가나 밭두렁, 빈터에서 자란다. 수염뿌리에서 향기가 난다. 장 운동을 활발하게 할 뿐만 아니라, 이뇨 작용을 도와 부종을 예방하는 효과가 있다고 한다.*

나도바랭이새 *Microstegium vimineum* [볏과]

줄기는 가늘고, 밑부분에서 가지가 갈라지며 마디에서 뿌리가 내린다. 잎은 선모양으로 양면에 털이 있다.

줄기 끝에 2~3개의 이삭 꽃차례가 가지처럼 달린다. 잔이삭은 자루가 있는 잔꽃과 자루가 없는 잔꽃이 2개씩 쌍을 이룬다. 수술은 3개이다.

* 한해살이풀
* 줄기 : 60cm 정도
* 개화 : 8~9월
* 열매 : 영과

들꽃 이야기 *숲가나 냇가에서 자란다. '나도바랭이'라고도 한다. 비슷한 종으로 털이 없는 민바랭이와, 꽃이삭가지의 가장자리가 밋밋한 좀바랭이가 있다.*

나도방동사니 Cyperus nipponicus [사초과]

줄기는 연녹색을 띤다. 잎은 폭 2~5mm이고, 잎집은 갈색 또는 적자색이다.

줄기 끝에 2~3개의 포엽이 있고, 그 중앙에 잔이삭이 머리 모양 꽃차례로 달린다. 10~30개의 잔꽃으로 이루어진 잔이삭이 2줄로 늘어선다. 열매는 길이 1mm의 타원형이다.

* 한해살이풀
* 줄기 : 10~20cm
* 개화 : 8~9월
* 열매 : 수과

들꽃 이야기

논두렁이나 습지에서 자란다. '푸른방동사니'라고도 한다. 비슷한 종으로 파피루스라고도 하는 머리방동사니는 8~9세기에 종이를 만드는 데 이용되었다.

난초 Orchidaceae [난초과]

붉은사철난

줄기는 곧게 자라거나 덩굴성 또는 알줄기나 뿌리줄기로 되는 것이 있다. 알줄기는 양분을 저장하는 역할을 하며, 뿌리줄기는 수분을 저장해 둔다.

잎은 홑잎이고 대부분 어긋나며 밑부분이 원줄기를 감싼다. 3개의 꽃잎 중 1개는 모양과 색이 독특한 입술모양이다.

은난초

* 여러해살이풀
* 줄기 : 1m 정도
* 개화 : 10~11월
* 열매 : 삭과

들꽃 이야기

외떡잎식물 중에서 가장 진화된 식물 무리이다. 아름답고 향기로운 꽃이 피어 좋아하는 사람이 많다. 꽃가루를 찾아 곤충이 찾아 들며, 꿀주머니가 발달한 것도 있다.

덴드로븀 Dendrobium [난초과]

줄기는 가늘고 길며 다육질이고, 마디가 있다. 잎은 피침형이고, 밑부분은 얇은 집으로 되어 줄기에 달라붙어 있다.

꽃은 줄기 위쪽의 마디에서 나오는 총상 꽃차례로 핀다. 꽃의 색은 흰색, 자주색, 노란색 등이 있으며 매우 아름답다. 봄이 되면 포기나누기로 번식시킨다.

꽃봉오리

* 여러해살이풀
* 줄기 : 50cm 정도
* 개화 : 10~2월
* 열매 : 삭과

들꽃 이야기 *제주도를 비롯하여 인도, 오스트레일리아, 인도차이나, 타이, 필리핀, 미얀마 등 동남아시아에 분포한다. 실내에 두면 공기가 깨끗해진다.*

도깨비바늘 Bidens bipinnata [국화과]

줄기는 거의 털이 없다. 아랫부분의 잎은 마주나고, 1~2회 깃 모양 겹잎이다. 작은 잎은 톱니가 있고 털이 많다.

꽃은 줄기나 가지 끝에 머리 모양 꽃차례로 1개씩 달린다. 대롱꽃은 가늘고, 혀꽃이 있는 경우도 있다. 열매 끝에 갓털이 변한 가시털이 있다.

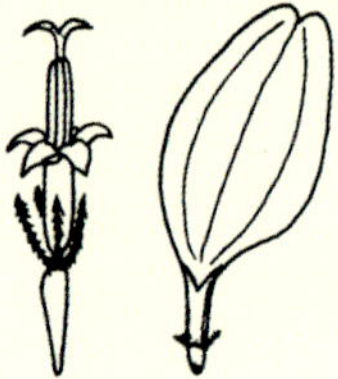

* 한해살이풀
* 줄기 : 1.5m 정도
* 개화 : 8~9월
* 열매 : 수과

들꽃 이야기 *산과 들의 습지나 길가에서 자란다. 갓털에 거꾸로 달린 가시가 다른 물체나 동물에 잘 붙어서 도깨비바늘이라는 이름이 붙여졌다.*

도꼬마리 Xanthium strumarium [국화과]

잎은 어긋나고 잎자루가 길다. 잎 밑부분은 달걀모양 삼각형으로 얕게 3개로 갈라진다.

꽃은 암수로 피는데, 수꽃은 둥글고 노란색으로 가지 끝에 원뿔모양을 이루고, 암꽃은 잎 겨드랑이에 2~3개 뭉쳐난다. 녹색 항아리모양의 과포 속에 작은 대롱꽃이 2개 있다.

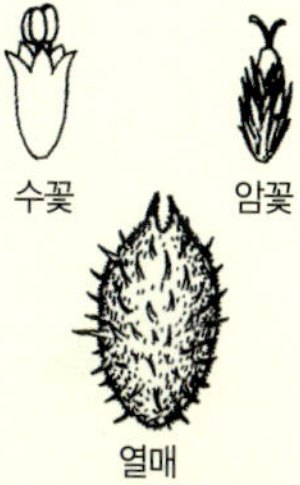

* 한해살이풀
* 줄기 : 1m 정도
* 개화 : 8~9월
* 열매 : 수과

들꽃 이야기

볕이 잘 드는 평지 빈터나 밭둑에서 자란다. 열매에 난 갈고리 같은 가시가 다른 물체에 달라붙어 잘 떨어지지 않는다. 한방에서 말린 열매를 약재로 쓴다.

동백꽃 Camellia japonica [차나뭇과]

잎은 어긋나며 잎몸은 질이 두텁고 광택이 있으며 양면 모두 잎자루와 함께 털이 없다.

꽃은 가지에 1개씩 달리며 꽃잎은 5개이다. 꽃받침조각은 5개로 기왓장을 인 모양으로 포개 있다. 수술은 여러 개이고 꽃밥은 노란색이다. 암술은 1개이고 암술대는 끝이 3개로 갈라진다.

* 낙엽 활엽 교목
* 줄기 : 5~7m
* 개화 : 12~4월
* 열매 : 삭과

들꽃 이야기

우리나라에서는 황해도 대청도가 분포의 북한계이다. 주로 다도해 도서 지방과 울릉도, 제주도 바닷가 산기슭에서 자란다. 씨에서 기름을 짠다.

돼지풀 Ambrosia artemisiifolia [국화과]

줄기는 부드러운 털이 촘촘하다. 잎은 깃모양으로 2~3회 깊게 갈라지고, 뒷면에 털이 빽빽하다. 밑부분의 잎은 마주나고 윗부분의 잎은 어긋난다.

노란색의 머리모양 수꽃은 가지 끝에 이삭모양으로 달리고, 그 아래 포엽겨드랑이에 녹색의 머리모양 암꽃이 달린다.

머리모양 꽃(수꽃)

머리모양 꽃(암꽃)

수술과 암술

* 한해살이풀
* 줄기 : 1m 정도
* 개화 : 8~9월
* 열매 : 수과

들꽃 이야기 *산기슭이나 도시 주변의 빈터에서 자란다. 땅속의 덩이뿌리를 돼지가 잘 먹는다고 하여 충청도 지방에서 붙여진 이름이라고 한다.*

둥근매듭풀 Kummerowia stipulacea [콩과]

매듭풀에 비해 가지가 많이 갈라진다. 매듭풀은 털이 밑으로 향하고, 둥근매듭풀은 털이 위로 향한다.

또 매듭풀은 꽃받침에 털이 있고, 둥근매듭풀은 없다. 매듭풀의 꼬투리는 꽃받침보다 조금 길며, 둥근매듭풀은 꽃받침 길이의 2배 정도이다.

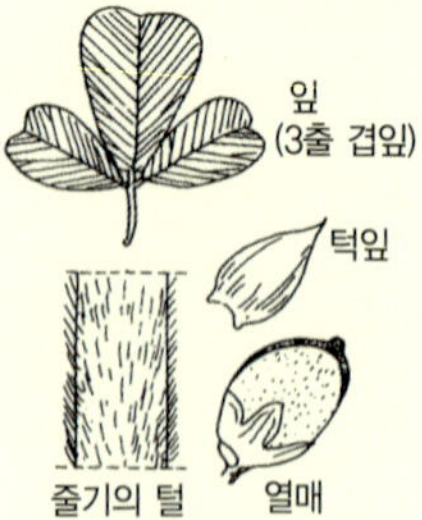

* 한해살이풀
* 줄기 : 14~40cm
* 개화 : 7~9월
* 열매 : 꼬투리

들꽃 이야기

길가나 빈터에서 자란다. 매듭풀의 잎보다 잎몸이 둥글어서 둥근매듭풀이라고 부른다. 척박한 곳의 지피식물(땅 위를 낮게 덮는 식물)이나 사료작물로 이용되어 왔다.

들깨풀 Mosla punctulata [꿀풀과]

줄기는 곧게 서고 네모지며 홍자색이다. 잎은 마주나고 끝이 뾰족하다. 잎자루는 길이 1~2cm이다.

이삭모양 꽃차례에 분홍빛 보라색의 입술모양을 한 작은 꽃이 달린다. 아랫입술이 윗입술보다 길고, 그 속에 수술이 있다. 열매에 그물눈무늬가 있다.

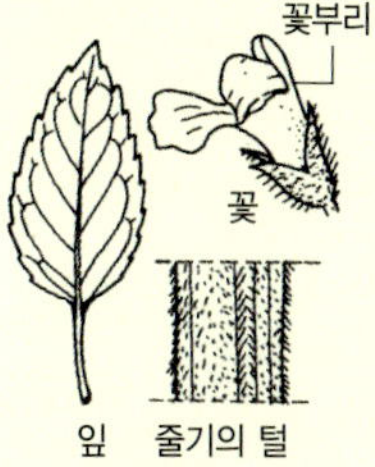

* 한해살이풀
* 줄기 : 20~60cm
* 개화 : 8~9월
* 열매 : 분과

들꽃 이야기 *산기슭이나 길가 습지에서 자란다. 잎은 먹고, 씨에서 짜낸 기름은 물이 스며들지 않는 종이를 만드는 데 쓴다. 식용유로 이용하기도 한다.*

매듭풀 Kummerowia striata [콩과]

줄기에 아래로 향한 털이 촘촘하다. 잎은 3출 겹잎이며, 작은 잎은 긴 타원형이다. 턱잎은 연한 갈색이며, 끝이 뾰족하다.

분홍색 나비모양의 꽃이 잎겨드랑이에 1~2개 피고, 꽃받침에 털이 있으며 끝이 5개로 갈라진다. 꽃잎은 꽃받침 길이의 2배이다.

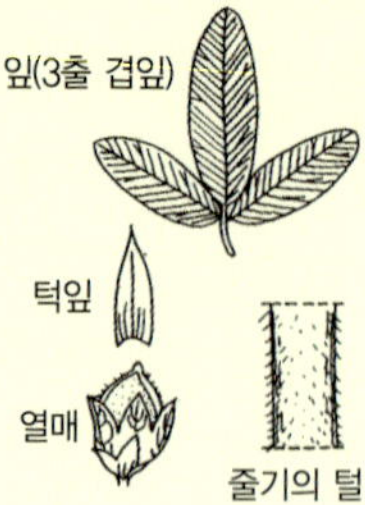

* 한해살이풀
* 줄기 : 20~50cm
* 개화 : 8~10월
* 열매 : 꼬투리

들꽃 이야기 *들이나 길가에서 흔히 둥근매듭풀과 함께 자란다. '매돕풀'이라고도 한다. 북아메리카에서는 줄기나 잎을 가축 사료로 쓰고, 중국에서는 약재로 쓴다.*

목화 Gossypium indium [아욱과]

줄기는 곧게 서고 잎과 함께 털이 있다. 잎은 어긋나고, 긴 잎자루가 있으며 밑부분에 작은 턱잎이 좌우에 1개씩 있다. 잎몸은 손바닥모양으로 끝이 뾰족하고 잎 뒷면 밑부분에 꿀샘이 있다.

꽃은 매우 크며 회색, 흰색, 붉은색 등이 있다. 5개 꽃잎은 꽃봉오리일 때 말려 포개 있다.

꽃

* 한해살이풀
* 줄기 : 60cm 정도
* 개화 : 8~9월
* 열매 : 삭과

들꽃 이야기 *인도가 원산이다. 가장 오래된 작물로, 역사에 기록되기 훨씬 전부터 이용되었다. 다 익은 열매에서 긴 솜털이 달린 씨가 나오는데, 털은 모아서 솜을 만들고 씨는 기름을 짠다.*

미국개기장 Panicum dichotomiflorum [볏과]

줄기는 굵고 털이 없이 매끄럽다. 잎은 길이 20~40cm, 폭 8~15mm이다. 줄기와 더불어 잎집은 광택이 난다.

줄기 끝의 원뿔 꽃차례를 이룬 가지에 여러 개의 잔이삭이 달린다. 백록색 또는 녹황색의 잔이삭은 타원형으로 까끄라기가 없고 끝이 뾰족하다.

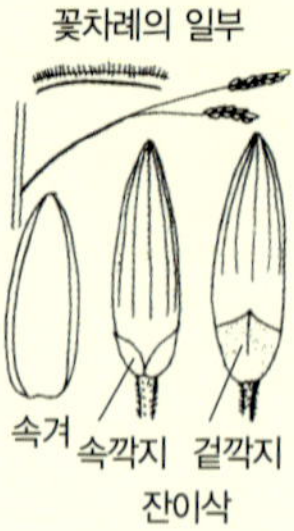

* 한해살이풀
* 줄기 : 40~100cm
* 개화 : 9~10월
* 열매 : 영과

들꽃 이야기 *볕이 잘 드는 빈터나 도랑, 물가에서 자란다. 북아메리카가 원산인 귀화식물이다. 씨와 열매는 먹고, 줄기와 잎은 종이 원료로 사용하거나 새끼줄을 만든다.*

민바랭이 Digitaria violascens [벼과]

줄기 밑부분부터 곧게 서고, 줄기 마디에서 뿌리가 돋지만 땅을 기지는 않는다. 잎은 길이 6~12cm, 폭 5~12mm이다.

가지는 줄기 윗부분에서 방사상으로 퍼지고, 잔이삭이 가지 한쪽에 이삭모양으로 달린다. 잔이삭은 편평한 타원형으로 회백색, 적백색 또는 적자색이다.

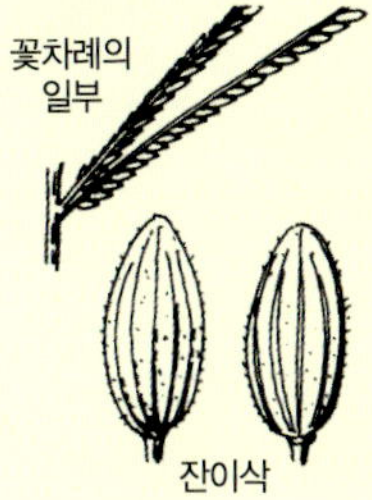

* 한해살이풀
* 줄기 : 30~80cm
* 개화 : 8~10월
* 열매 : 영과

들꽃 이야기

평지 길가나 빈터에서 자란다. 비슷한 종으로, 바랭이보다 털이 없는 민바랭이와, 꽃이삭가지의 가장자리가 밋밋한 좀바랭이가 있다.

방동사니 Cyperus amuricus [사초과]

줄기는 여러 개가 모여 난다. 줄기 끝에 포엽이 달리고, 포엽 사이에서 벋은 가지 끝에 잔이삭이 달린다.

금방동사니와 달리 가지 끝이 다시 갈라지는 경우가 적어 꽃차례가 단순하다. 잔이삭은 10~20개의 잔꽃으로 이루어지며, 비늘조각은 적갈색이다.

잔이삭

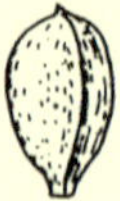

열매

* 한해살이풀
* 줄기 : 10~60cm
* 개화 : 8~10월
* 열매 : 수과

들꽃 이야기 *논, 밭둑이나 강가의 볕이 잘 드는 풀밭에서 자란다. '건골'이라고도 한다. 왕골과 비슷하게 생겼지만, 키가 작고 특이한 냄새가 난다.*

버들잎엉겅퀴 Cirsium lineare [국화과]

뿌리줄기는 퉁퉁한 덩이모양이고, 줄기는 가늘며 털이 없다. 뿌리에서 모여 난 잎은 꽃이 필 때쯤 말라 죽는다. 줄기잎은 어긋나고 버들잎같이 끝이 뾰족하다. 잎 앞면은 연녹색이고 뒷면은 흰 털이 있다.

자주색 꽃은 가지 끝에 1개씩 머리모양 꽃차례를 이룬다.

* 여러해살이풀
* 줄기 : 50~100cm
* 개화 : 8~10월
* 열매 : 수과

들꽃 이야기

경기도 이북 산기슭의 건조한 풀밭에서 자란다. '버들엉겅퀴, 솔엉겅퀴'라고도 한다. 잎이 버들잎처럼 좁고 가늘어 버들잎엉겅퀴라고 부른다.

벌개미취 Aster koraiensis [국화과]

뿌리줄기는 옆으로 길게 벋는다. 잎 앞면과 뒷면에 거의 털이 없다.

혀꽃과 대롱꽃으로 이루어진 머리모양 꽃이 가지 끝에 1개씩 위를 향해 달린다. 대롱꽃은 노란색으로 길이 약 10mm이고, 혀꽃은 연한 자주색으로 길이 20~25mm, 폭 3~4mm이다.

* 여러해살이풀
* 줄기 : 60~70cm
* 개화 : 6~9월
* 열매 : 수과

들꽃 이야기

논두렁이나 산기슭 습지에서 자란다. 꽃이 별처럼 생겨 '별개미취'라고도 한다. 쑥부쟁이와 비슷하지만, 벌개미취는 꽃이 크고 뿌리 부근의 잎이 방석처럼 퍼진다.

베고니아 Begonia evansiana [베고니아과]

해마다 새로운 덩이뿌리가 나오고 많은 수염뿌리가 생긴다. 잎은 어긋나고 잎몸은 끝이 뾰족한 달걀모양이다. 잎 밑부분은 심장모양이고, 가장자리에 규칙적인 잔톱니가 있다.

줄기 끝에서 가지가 갈라지며 끝부분에 선홍색 꽃이 핀다. 수꽃이 많고 암꽃은 수가 적다.

* 여러해살이풀
* 줄기 : 60cm 정도
* 개화 : 8~9월
* 열매 : 삭과

들꽃 이야기 *흔히 뜰에 심어 가꾼다. 햇볕이 들지 않는 그늘에서 잘 자란다. 베고니아라는 이름은 프랑스 식물 애호가 '베공(Begon)'의 이름에서 따온 것이다.*

비수리 Lespedeza cuneata [콩과]

줄기 밑부분이 흑자색을 띠기도 한다. 잎은 어긋나며 3출 겹잎이고, 작은 잎은 뒷면에 털이 많이 나 있다.

연한 노란색의 나비모양 꽃은 2~3개씩 잎겨드랑이에 달리며, 꽃받침은 깊게 5개로 갈라지고 털이 촘촘하다. 꼬투리는 그물무늬모양의 맥과 털이 있다.

* 여러해살이풀
* 줄기 : 50~90cm
* 개화 : 8~9월
* 열매 : 꼬투리

들꽃 이야기 *산기슭이나 강가 모래땅에서 자란다. '노우근, 호지자, 산채자, 야관문'이라고도 한다. 맛은 쓰고 조금 맵다. 줄기를 엮어 광주리를 만들기도 한다.*

새 Arundinella hirta [볏과]

뿌리줄기는 길게 옆으로 벋고, 줄기는 여러 개 뭉쳐나며 가늘다. 잎은 길이 20~40cm, 폭 5~15mm이다.

여러 개의 잔이삭은 원뿔 꽃차례를 이루어 가지 밑부분까지 빽빽이 달린다. 잔이삭은 녹색, 자색 또는 자갈색이고 양성화 1개와 수꽃 1개로 이루어진다.

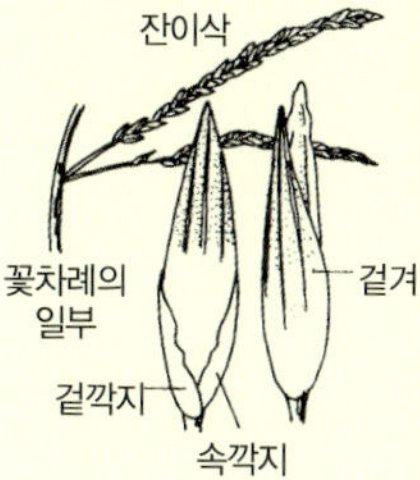

* 여러해살이풀
* 줄기 : 80~120cm
* 개화 : 8~9월
* 열매 : 영과

들꽃 이야기 *풀밭이나 산기슭에서 자란다. '야고초'라고도 한다.*

솔새 Themeda triandra var. japonica [벼과]

줄기는 여러 개가 뭉쳐난다. 잎 밑부분과 잎집 가장자리에 털이 많다. 잎혀는 길이 1~3mm이며 막질이다.

이삭 꽃차례의 가지마다 갈색의 큰 잔이삭이 달리며, 밑부분에 포엽이 있다. 잔이삭은 1개가 양성 꽃, 4~5개는 수꽃으로 이루어진다.

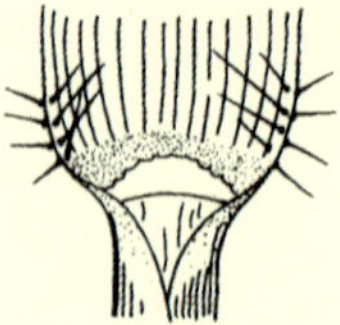

잎혀

* 여러해살이풀
* 줄기 : 1m 정도
* 개화 : 8~9월
* 열매 : 영과

들꽃 이야기

산과 들의 풀밭에서 자란다. '솔줄, 솔풀'이라고도 한다. 억센 뿌리로 솔을 만들어서 솔새라는 이름이 붙여진 듯하다. 줄기로 지붕을 잇기도 한다.

쇠뜨기 Equisetum arvense [속새과]

뿌리줄기는 길게 옆으로 벋으며 잔털로 덮여 있다.

줄기는 영양줄기와 홀씨줄기로 구별된다. '뱀밥'이라고 하는 홀씨줄기는 연갈색으로 톱니 모양의 잎이 돌려나며 홀씨주머니이삭이 달린다. 영양줄기는 홀씨줄기가 시든 후 돋고, 칼집 모양의 비늘잎에 둘러싸인다.

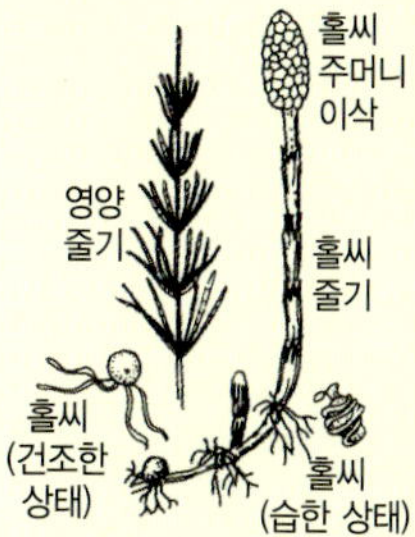

* 여러해살이풀

* 줄기 : 10~30cm

* 홀씨 : 4~5월

* 열매 : 홀씨

들꽃 이야기

평지 모래땅이나 논두렁과 밭두렁, 강가에서 자란다. 뿌리줄기가 붓끝처럼 생겨 '필두엽'이라고도 한다. 소가 잘 뜯어 먹는 풀이라고 하여 쇠뜨기라고 부른다.

쇠방동사니 Cyperus orthostachyus [사초과]

줄기는 세모지고, 잎은 부드러우며 폭은 1cm 정도이다.

줄기 윗부분의 포엽 사이에서 벋은 길이가 일정하지 않은 여러 개의 가지 끝에 잔이삭이 모여 달린다. 잔이삭은 편평하고 8~20개의 잔꽃으로 이루어지며, 비늘조각은 진한 적갈색 또는 자갈색이다.

잔이삭

열매

* 한해살이풀

* 줄기 : 30~60m

* 개화 : 8~10월

* 열매 : 수과

들꽃 이야기 *습지나 논밭에서 자란다. 사초과는 전 세계에 700여 종이 있으며, 우리나라에는 방동사니, 물방동사니, 병아리방동사니, 알방동사니 등 16여 종이 있다.*

쇠풀 Andropogon brevifolius [벼과]

줄기 밑부분에서 많은 가지가 갈라진다. 잎은 선모양이며 털이 없다.

줄기 윗부분의 잎겨드랑이에 길이 2cm의 꽃차례를 이루며 잔이삭이 달린다. 자루가 있는 잔이삭은 까끄라기로 변하고, 자루가 없는 잔이삭은 적자색을 띠며 까끄라기가 있다.

* 한해살이풀
* 줄기 : 10~40cm
* 개화 : 8~9월
* 열매 : 수과

들꽃 이야기 *제주도와 경기도, 강원도 이남 산기슭의 습지에서 자란다.*

수선화 Narcissus tazetta [수선화과]

검은 껍질에 싸인 달걀모양의 비늘줄기에서 몇 개의 잎과 1개의 꽃줄기가 돋는다.

얇은 막질의 포엽 사이에서 자란 꽃자루 끝에 희거나 노란 꽃이 1개씩 핀다. 꽃덮이조각은 6개이고, 아랫부분은 대롱모양이며 윗부분 안쪽에 노란색 부꽃부리가 있다.

* 여러해살이풀
* 줄기 : 20~40cm
* 개화 : 12~3월
* 열매 : 맺지 않음

들꽃 이야기

지중해 연안에서 중국 남부가 원산지이다. 속명인 '나르키수스(Narcissus)'는 그리스 신화에 나오는 '나르시스(나르키소스)'라는 청년의 이름에서 유래한다.

수크령 Pennisetum alopecuroides [볏과]

줄기 여러 개가 뭉쳐 그루를 이루며, 잘 뽑히지 않는다. 잎은 길이 30~60cm, 폭 5~8mm이다.

잔이삭은 줄기 끝에 흑자색의 솔 같은 원기둥모양의 이삭 꽃차례를 이룬다. 잔이삭은 밑부분에 은백색의 긴 털이 많이 있다. 수술은 3개, 암술머리는 2개이다.

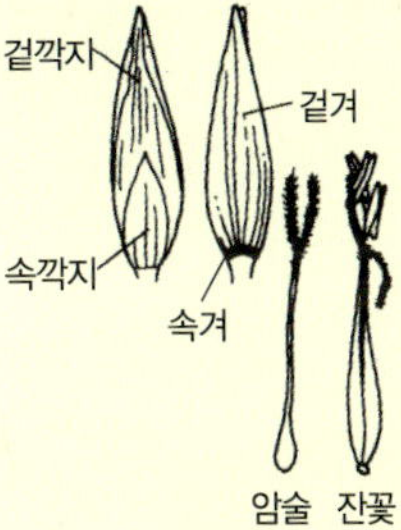

* 여러해살이풀
* 줄기 : 30~80m
* 개화 : 8~10월
* 열매 : 영과

들꽃 이야기

들이나 길가, 산기슭, 빈터에서 자란다. '길갱이, 랑미초'라고도 하는데, 검은 자주색 털이 난 꽃이삭이 이리(狼) 꼬리(尾)처럼 생겨 붙여진 이름이다.

신답서스 Scindapusus aureus [천남성과]

잎이 심장모양이다. 잎은 어긋나고 잎몸은 끝부분이 뾰족하며 질이 두껍고 윤기가 나며 녹색 바탕에 크림색의 줄무늬가 대리석 무늬처럼 있다.

그늘에 두면 잎 무늬가 살아나며, 줄기를 기어오르게 하면 잎이 커지고 밑으로 내려 자라게 하면 작아진다.

들꽃 이야기

뉴질랜드와 오스트레일리아를 비롯해 아시아의 온난한 지방에 분포한다. 현관이나 주방에 걸거나 선반에 올려놓고 아래로 늘어뜨려 키운다. '에피프렘넘'이라고도 한다.

* 덩굴 식물
* 줄기 : 10m 정도

알로카시아 Alocasia watsoniana [천남성과]

방패 모양으로 생긴 잎은 짙은 초록색을 띠며, 뿌리에서부터 4~5개가 난다. 잎은 길이 30cm, 폭 20cm 정도로 크며, 잎자루는 1m 정도로 길다.

다른 식물에 비해 유난히 잎이 크고 우산을 펼쳐 놓은 듯한 데다, 줄기가 길게 늘어져 집 안에 두면 장식 효과가 높다.

* 여러해살이풀
* 줄기 : 1m 정도
* 열매 : 액과(장과)

들꽃 이야기

말레이시아가 원산지이다. 여름에 기르면 시원한 느낌을 주어 관엽 식물로 가꾼다. 온도가 높고 습기가 많은 곳에서 잘 자라며, 온실에서는 20℃ 이상 온도를 유지해야 한다.

야산고비 *Onoclea sensibilis* var. *interrupta* [면마과]

뿌리줄기가 옆으로 길게 벋고, 군데군데 비늘조각이 달린다.

잎은 영양잎과 홀씨잎이 있다. 영양잎은 1회 깃모양으로 갈라지며, 전체적으로 넓은 삼각형을 이룬다. 홀씨잎은 가을에 생기며 2회 깃모양으로 갈라지고, 깃조각은 입체모양으로 갈라진다.

* 여러해살이풀
* 줄기 : 15~30cm
* 홀씨 : 9~10월
* 열매 : 홀씨

들꽃 이야기

산기슭이나 숲가의 응달진 습지에서 자란다. '야산고사리'라고도 한다. 고사리와 같은 양치식물에 속하며, 어린풀은 고사리처럼 먹을 수 있다.

억새 *Miscanthus sinensis* [벼과]

줄기는 마디가 있는 원기둥모양이다. 잎 가장자리가 껄끄럽다. 줄기 끝에서 1개 또는 여러 개의 가지가 갈라지며, 가지마다 잔이삭이 빽빽이 달린다.

잔이삭은 자루가 긴 것과 짧은 것이 쌍을 이루는데, 황갈색 또는 자갈색이고 밑부분에 흰 털이 빽빽하다.

* 여러해살이풀
* 줄기 : 1~2m
* 개화 : 9~10월
* 열매 : 영과

들꽃 이야기 *볕이 잘 드는 풀밭에서 자란다. 물기 없이 메마르고 척박한 땅에서도 억척스럽게 자라는 모습에 비유하여 '억센 새풀'이라는 뜻으로 붙여진 이름이다.*

오이풀 Sanguisorba officinalis [장미과]

줄기에 털이 없으며 윗부분에서 가지가 갈라진다. 뿌리에서 난 잎은 긴 잎자루가 있다. 5~11개의 작은 잎은 홀수 깃모양 겹잎이며 긴 타원형이다.

줄기나 가지 끝에 이삭 꽃차례가 위에서 밑으로 내려 핀다. 꽃받침조각은 4개로 짙은 자주색을 띤다.

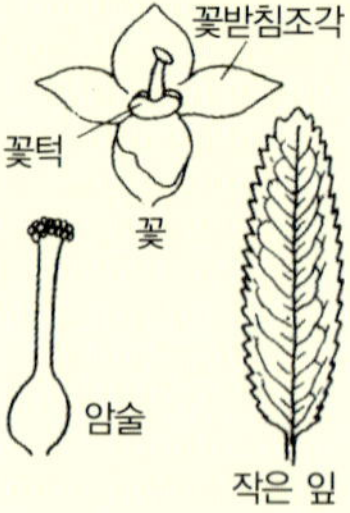

* 여러해살이풀
* 줄기 : 50~100cm
* 개화 : 8~10월
* 열매 : 수과

들꽃 이야기 *산속 볕이 잘 드는 풀밭이나 물가에서 자란다. 잎에서 오이 냄새가 난다고 하여 오이풀이라고 부른다. 민간에서는 피를 멈추게 하는 약재로 쓴다.*

옹긋나물 Aster fastigiatus [국화과]

줄기 윗부분에서 가지가 갈라지고 잔털이 촘촘하다. 밑부분의 잎 뒷면은 흰색이고 샘점이 있으며, 줄기잎은 어긋난다.

꽃은 산방모양으로 머리모양 꽃차례를 이루고, 꽃차례 가지에는 잔털이 난다. 머리모양 꽃은 흰색이며, 대롱꽃과 혀꽃으로 이루어진다.

* 여러해살이풀
* 줄기 : 30~100cm
* 개화 : 8~10월
* 열매 : 수과

들꽃 이야기 *볕이 잘 드는 습지나 산기슭의 풀밭에서 자란다. 꽃차례가 옹기종기 또는 옹긋종긋 잔 꽃들이 모여 피어난 모습에 비유하여 붙여진 이름인 듯하다.*

왕바랭이 Eleusine indica [볏과]

줄기는 여러 개가 뭉쳐나 곧게 선다. 잎은 선모양이고, 잎집과 더불어 털이 없다.

줄기 끝에서 4~6개의 방사상으로 갈라진 가지마다 잔이삭이 한쪽에만 촘촘하게 달린다. 잔이삭은 담록색의 편평한 달걀형이며, 약 5개로 잔꽃을 이루며 까끄라기가 없다.

잔이삭

* 한해살이풀

* 줄기 : 30~60cm

* 개화 : 8~9월

* 열매 : 영과

들꽃 이야기

평지의 응달진 길가나 빈터에서 자란다. 비슷한 종으로, 털이 없는 민바랭이와 꽃이삭 가지의 가장자리가 밋밋한 좀바랭이가 있다.

이고들빼기 Youngia denticulata [국화과]

줄기 윗부분에서 많은 가지가 갈라진다. 밑부분의 잎은 꽃이 필 무렵 말라 죽는다. 잎몸은 주걱모양이며, 밑부분은 줄기를 안는다.

10~15개의 노란색 혀꽃만인 머리모양 꽃차례는 가지 끝에 여러 개 달린다. 꽃이 핀 다음에 꽃차례는 밑으로 처진다.

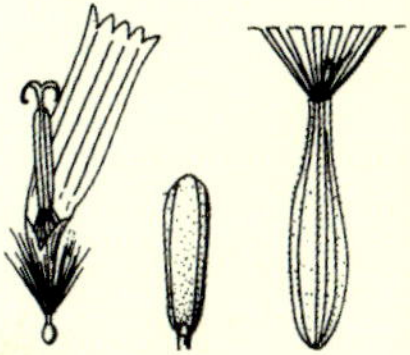

* 한두해살이풀
* 줄기 : 30~70cm
* 개화 : 8~9월
* 열매 : 수과

들꽃 이야기

산기슭이나 길가에서 자란다. 꽃잎이 사람의 앞니처럼 생겨서 이고들빼기라고 부른다. 비슷한 종인 강화이고들빼기는 잎이 깃처럼 갈라진다.

장대여뀌 Persicaria yokusaiana [마디풀과]

줄기 밑부분에서 많은 가지가 갈라진다. 잎은 어긋나며 양끝이 좁아지고 가장자리에 긴 털이 있다.

꽃은 느슨하게 이삭 꽃차례를 이룬다. 개여뀌와 비슷하지만, 잎의 질이 얇고 끝이 꼬리모양으로 가늘며 윗면에 거친 털이 있다. 꽃받침은 분홍색이다.

* 한해살이풀
* 줄기 : 20~60cm
* 개화 : 7~9월
* 열매 : 수과

들꽃 이야기

숲가 응달에서 자란다. 개여뀌에 비해 잎이 짧고 넓으며 꽃이 듬성듬성 달리므로 개여뀌와 쉽게 구별할 수 있다. 여뀌의 꽃을 '요화'라고 한다.

좀싸리 Lespedeza virgata [콩과]

줄기가 가늘고 딱딱하다. 잎은 어긋나며 3출 겹잎이다. 작은 잎은 타원형으로, 털이 없고 끝에 바늘 같은 작은 돌기가 있다.

잎겨드랑이에 난 가늘고 긴 꽃자루에 흰색 또는 살구색의 나비모양 꽃이 2개씩 핀다. 꽃받침은 보라색이다. 꼬투리에 1개의 씨가 있다.

* 갈잎 넓은잎 떨기나무
* 줄기 : 40~60cm
* 개화 : 8~9월
* 열매 : 꼬투리

들꽃 이야기 *낮은 산속 풀밭이나 길가에서 자란다. 싸리나무보다 작아 좀싸리라고 부른다. 좀싸리와 개싸리 사이에서 생긴 잡종을 왕좀싸리라고 한다.*

줄 Zizania latifolia [벼과]

줄기는 짙은 녹색을 띠며 매끄럽다. 잎은 끝이 예리하게 뾰족하고, 밑부분은 점차 가늘어지면서 잎집을 이룬다.

꽃차례는 큰 원뿔형이고, 많은 가지가 갈라지며 가지 윗부분에는 연한 녹색의 암꽃 잔이삭이 달리고, 아랫부분에는 자색을 띤 수꽃 잔이삭이 달린다.

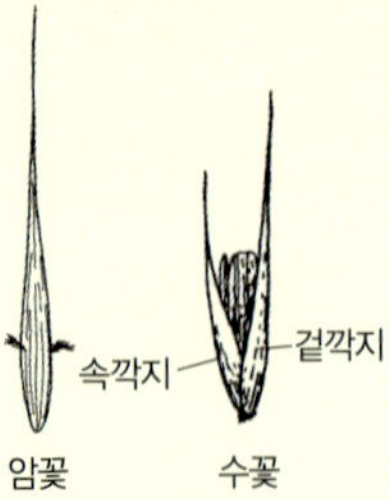

* 여러해살이풀
* 줄기 : 1~2m
* 개화 : 8~9월
* 열매 : 영과

들꽃 이야기 *냇가나 못, 늪에서 자란다. 열매와 어린순은 먹고 잎은 도롱이, 차양, 자리를 만드는 데 쓴다. 또 검은 홀씨는 화장품이나 그림물감 대용으로 쓴다.*

쥐깨풀 Mosla dianthera [꿀풀과]

줄기는 네모지며 밑을 향한 짧은 털이 있으며, 마디에는 흰 털이 많다. 잎은 마주나고 길이 1~2cm의 잎자루가 있다. 잎몸은 달걀모양으로, 끝이 뾰족하고 털이 없거나 조금 있다.

줄기나 잎겨드랑이에 입술모양 꽃이 흰색이나 담홍색으로 피며 이삭모양 꽃차례를 이룬다.

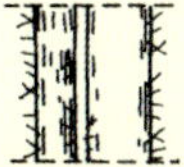

줄기의 털

잎

* 한해살이풀

* 줄기 : 30~60cm

* 개화 : 7~9월

* 열매 : 분과

들꽃 이야기 *산과 들의 습한 응달에서 자란다. '쥐깨'라고도 한다. 풀 전체는 냄새를 없애는 작용이 있는 티몰(thymol)의 원료로 이용하고, 어린순은 나물로 먹는다.*

쥐꼬리망초 Justicia procumbens [쥐꼬리망촛과]

줄기 밑부분이 비스듬히 옆으로 번으며 많은 가지가 갈라진다. 잎은 마주나고 달걀모양이며 양끝이 뾰족하다.

작은 입술모양의 분홍색 꽃이 줄기나 가지 끝에 이삭모양 꽃차례를 이룬다. 포엽은 꽃받침과 모양이 비슷하고, 꽃받침은 5개로 깊게 갈라진다.

* 한해살이풀
* 줄기 : 10~40cm
* 개화 : 7~9월
* 열매 : 삭과

들꽃 이야기

경기도 이남 산기슭이나 밭둑에서 자란다. 열매가 쥐꼬리를 닮아 쥐꼬리망초라는 이름이 붙여졌다. 또 키가 무릎까지 와서 '무릎꼬리풀'이라고도 부른다.

쥐꼬리새 Muhlenbergia japonica [볏과]

밑부분에서 가지가 갈라져 뿌리줄기가 자라기도 하며, 줄기는 가늘고 비스듬히 선다. 잎은 부드럽고 백록색이다.

원뿔 꽃차례는 길이 8~15cm이다. 가지마다 4~6개의 잔이삭이 달린다. 잔이삭은 1개의 잔꽃만으로 이루어지고 까끄라기가 없다.

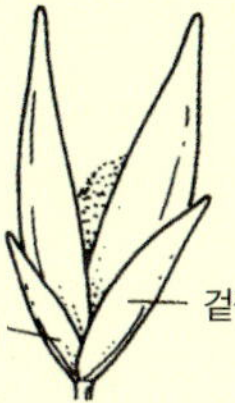

* 여러해살이풀
* 줄기 : 20~25cm
* 개화 : 8~9월
* 열매 : 영과

들꽃 이야기

산기슭의 응달진 숲가나 풀밭에서 자란다. 꽃차례가 쥐 색깔과 비슷한 회색을 띠며, 생김새가 쥐꼬리처럼 생겨 쥐꼬리새라는 이름이 붙여졌다.

처녀고사리 Lastrea thelypteris [면마과]

뿌리줄기가 땅속을 길게 벋으며 자라고, 홀씨잎은 곧게 서고 영양잎은 낮게 옆으로 퍼지기도 한다.

홀씨잎과 영양잎은 구별이 뚜렷하지 않다. 영양잎은 털이 있고 깃조각은 폭 10~15mm이며, 홀씨잎 깃조각은 폭 5~10mm이고 맥은 두 갈래로 갈라진다.

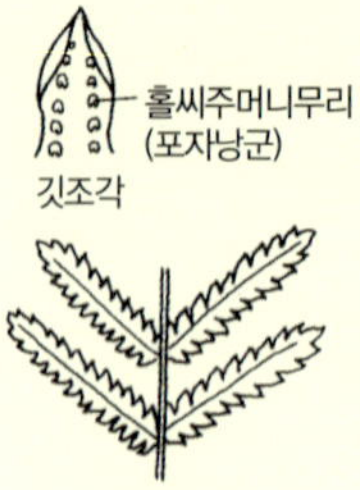

* 여러해살이풀
* 줄기 : 30~70cm
* 홀씨 : 8~10월
* 열매 : 홀씨

들꽃 이야기

논둑이나 산기슭의 볕이 잘 드는 습지에서 자란다. 가늘고 부드러워 처녀고사리라고 부르는 듯하다. 비슷한 종으로 큰처녀고사리는 고산 지대의 습지에서 자란다.

코스모스 Cosmos bipinnatus [국화과]

줄기는 털이 없으며, 많은 가지가 갈라진다. 잎은 마주나는 2회 깃모양 겹잎이며, 가늘게 갈라진 작은 잎은 실모양이다.

가지나 줄기 끝에 머리모양꽃이 1개씩 위를 향해 핀다. 대롱꽃은 노란색, 혀꽃은 붉은색, 흰색, 분홍색 등이다. 보통 대롱꽃이 열매를 맺는다.

* 한해살이풀
* 줄기 : 1.5~2m
* 개화 : 9~10월
* 열매 : 수과

들꽃 이야기 *한방에서 뿌리를 제외한 풀 전체를 '추영'이라고 하여 약재로 쓴다. 코스모스라는 이름은 그리스어로 '장식한다.'는 뜻의 'kosmos'에서 유래하였다.*

큰기름새 Spodiopogon sibiricus [벼과]

뿌리줄기에서 땅을 기는줄기가 벋고, 줄기는 곧게 선다. 잎은 표면이 거칠고 밑부분은 잎집을 이룬다.

길이 15~25cm의 원뿔 꽃차례를 이루며, 가지마다 밑부분의 1/3 정도를 빼고 잔이삭이 빽빽이 달린다. 잔이삭은 연녹색이며, 자갈색 까끄라기가 있다.

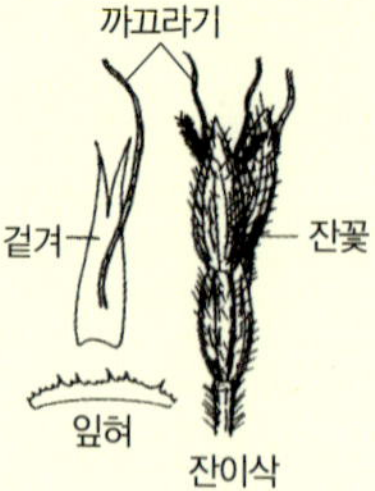

* 여러해살이풀
* 줄기 : 1m 정도
* 개화 : 8~9월
* 열매 : 영과

들꽃 이야기 *숲가 또는 산속 풀밭에서 자란다. 기름새와 비슷하지만, 꽃차례가 곧게 서는 점이 다르다. 기름새는 큰기름새보다 꽃이삭이 엉성하고 작은이삭이 축 늘어져 있다.*

큰벼룩아재비 Mitrasacme pygmaea [마전과]

줄기는 가늘고, 밑부분의 마디 사이는 짧으며 2~4쌍의 잎이 마주난다. 잎몸은 긴 타원형이며 3맥이 뚜렷하고 가장자리는 밋밋하며 잔털이 있다.

가지 끝에 흰 꽃 3~4개가 우산모양 꽃차례로 달린다. 꽃부리는 대롱모양이고 끝이 4개로 갈라진다.

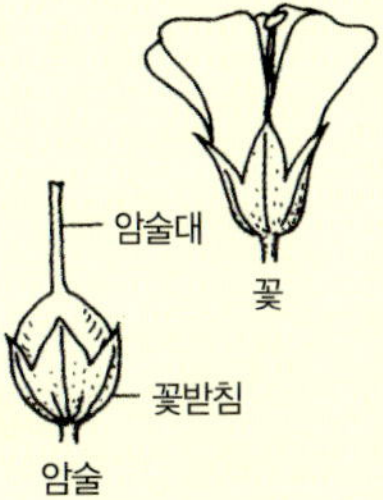

* 한해살이풀
* 줄기 : 5~15cm
* 개화 : 7~10월
* 열매 : 삭과

들꽃 이야기

제주도와 경기도 이남, 영호남 지방의 산기슭 풀밭에서 자란다. 비슷한 종으로 벼룩아재비는 줄기 윗부분에 돌기가 있다.

털여뀌 Persicaria cochinchinensis [마디풀과]

전체에 털이 촘촘히 나며, 줄기는 굵고 윗부분에서 많은 가지가 갈라진다. 잎몸은 달걀모양 심장형이다.

꽃은 잎겨드랑이의 가지 끝에 이삭모양 꽃차례를 이루어 밑으로 처진다. 분홍색 꽃덮이는 5개로 갈라지고, 수술은 8개, 암술대는 2개이다.

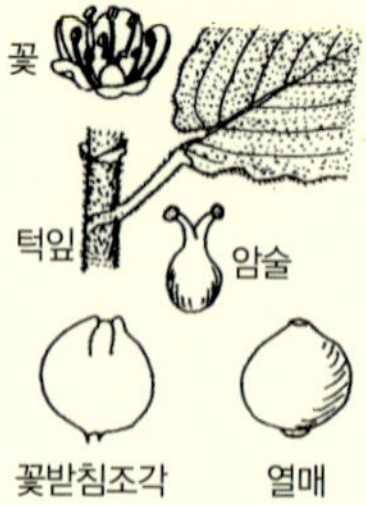

* 한해살이풀
* 줄기 : 1~1.5m
* 개화 : 8~9월
* 열매 : 수과

들꽃 이야기 *길가나 빈터, 밭둑, 철도가에서 자란다. 풀 전체에 털이 나 있어 털여뀌라고 부른다. 학자들마다 분류학적으로나 학명에 대해 다른 의견이 많다.*

털진득찰 Siegesbeckia pubescens [국화과]

잎은 마주나고 뒷면에 샘점이 있으며 털이 많이 나 있다. 잎자루에는 샘점이나 샘털이 없어 끈적이지 않는다.

혀꽃은 길이 1.5~2.5mm이며, 대롱꽃과 함께 노란색을 띤다. 5개의 총포조각은 주걱모양이며 녹색이고 샘털이 촘촘하게 나 있다.

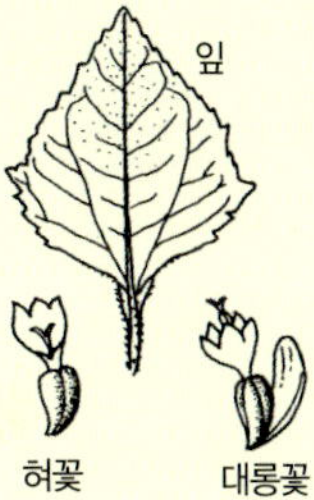

* 한해살이풀
* 줄기 : 1m 정도
* 개화 : 8~9월
* 열매 : 수과

들꽃 이야기

빈터, 밭둑이나 숲가에서 자란다. 진득찰보다 키가 크고 털이 거칠어 털진득찰이라고 부른다. 풀에서 돼지 냄새가 나며 맵고 쓰는 맛이 있다.

풀싸리 Lespedeza thunbergii var. intermedia [콩과]

겨울에 줄기는 말라 죽는다. 가지에 잔털이 있다. 잎은 어긋나며 3출 겹잎이고, 작은 잎은 긴 타원형으로 앞면은 짙은 녹색, 뒷면은 회백색이다.

꽃은 잎겨드랑이나 줄기 끝에 술모양 꽃차례를 이룬다. 꽃잎은 흰색이나 진한 홍색 또는 연한 자홍색이다.

* 낙엽 활엽 관목
* 줄기 : 1~2m
* 개화 : 8~9월
* 열매 : 꼬투리

들꽃 이야기 볕이 잘 드는 산기슭에서 자란다. 우리나라 특산종이다. 비슷한 종으로, 흰색 꽃이 피는 흰풀싸리, 잎 끝이 패어 있는 부채싸리가 있다.

향유 Elsholtzia ciliata [꿀풀과]

줄기는 네모지고 윗부분에서 많은 가지가 갈라지며 강한 향기가 있다. 잎은 마주나고 긴 달걀모양이다.

입술모양의 자홍색 꽃은 한쪽으로 향해 이삭 꽃차례를 이루며 활처럼 휜다. 꽃받침은 5개로 갈라지고, 꽃부리는 4개로 갈라진다.

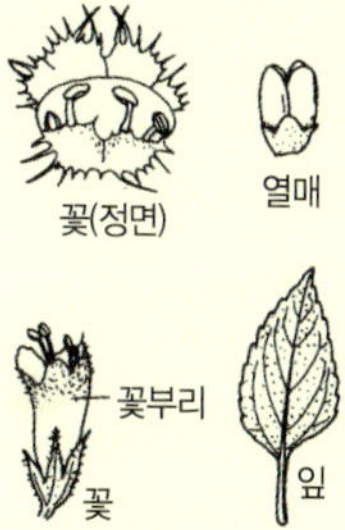

* 한해살이풀

* 줄기 : 30~60cm

* 개화 : 9~10월

* 열매 : 분과

들꽃 이야기

평지나 산속 길가에서 자란다. '노야기'라고도 한다. 한방에서 꽃이 필 때 풀 전체를 말린 것을 '향유'라고 하는데 이것을 해열, 부스럼 등을 치료하는 약재로 쓴다.

숲 속

가시여뀌 Persicaria fauriei [마디풀과]

줄기는 붉은색 샘털이 촘촘히 난다. 잎은 어긋나고 잎자루는 길다. 잎몸 밑부분 양쪽이 화살촉같이 좌우로 약간 벌어 있고, 뒷면 맥 위에 털이 있다. 턱잎은 칼집모양으로 줄기를 둘러싸고 길이 10mm 정도이다.

꽃은 줄기 끝이나 잎겨드랑이에 이삭모양 꽃차례를 이룬다.

* 한해살이풀
* 줄기 : 1~2m
* 개화 : 8~9월
* 열매 : 수과

들꽃 이야기 *산속 나무 그늘에서 자란다. 여뀌의 한 종류로, 줄기에 가시 같은 붉은 털이 나고, 줄기와 잎에 짧은 가시털이 있어 붙여진 이름이다.*

각시취 Saussurea pulchella [국화과]

줄기는 때로 지느러미 같은 날개가 있다. 밑부분의 잎은 잎몸이 깊게 갈라지며 긴 자루가 있다. 잎 양면에 잔털이 촘촘히 나고, 뒷면에는 샘점이 있다.

줄기 끝에 여러 개의 머리모양 꽃차례가 산방모양을 이룬다. 꽃차례는 대롱꽃만이며, 잔꽃의 꽃부리는 자홍색이다.

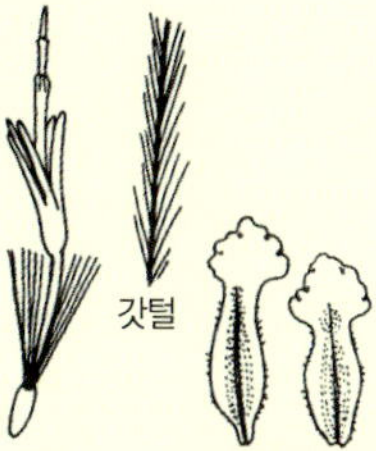

* 두해살이풀
* 줄기 : 1.5m
* 개화 : 8~10월
* 열매 : 수과

들꽃 이야기

산속 풀밭에서 자란다. 줄기 끝에 피어 있는 꽃이 각시처럼 아름다워 각시취라고 부르는 듯하다. 어린순은 나물로 먹고, 풀 전체는 약재로 쓴다.

개고사리 Athyrium niponicum [면마과]

땅속으로 벋는 뿌리줄기가 있다. 잎자루는 길이 20~40cm이다. 잎몸은 잎자루와 길이가 비슷하며, 깃모양 겹잎이다. 깃조각은 6~10쌍이며, 윗부분은 꼬리모양으로 길게 좁아진다.

홀씨주머니무리(포자낭군)는 작은 깃조각 중앙맥과 가장자리의 중간부에 많다.

* 여러해살이풀
* 줄기 : 50~80cm
* 홀씨 : 9~10월
* 열매 : 홀씨

들꽃 이야기

숲 속 응달이나 습지에서 자란다. '물개고사리'라고도 한다. 어린잎은 잎자루와 함께 먹는다. 비슷한 종으로 광릉개고사리, 가는잎개고사리, 큰개고사리 등이 있다.

개미취 Aster tataricus [국화과]

줄기는 곧게 서고, 뿌리에서 난 잎은 긴 잎자루가 있으며 주걱 모양이고, 큰 것은 잎몸이 길이 65cm, 폭 13cm 정도이다. 줄기 잎에도 긴 잎자루가 있으며 잎몸은 긴 타원형이다.

꽃차례는 혀꽃과 대롱꽃으로 이루어지며 청자색이고, 줄기 끝에 큰 산방 꽃차례를 이룬다.

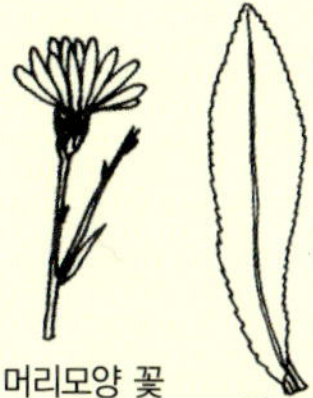

* 여러해살이풀
* 줄기 : 1~1.5m
* 개화 : 8~10월
* 열매 : 수과

들꽃 이야기

제주도, 울릉도를 제외한 산속 습한 풀밭에서 자란다. '자원, 자완, 탱알'이라고도 한다. 한방과 민간에서 뿌리와 풀 전체를 천식, 폐결핵 등을 치료하는 약재로 쓴다.

개아마 Linum stelleroides [아마과]

줄기는 가늘고 털이 없다. 잎은 어긋나고 잎자루가 없으며, 잎몸은 3맥이 있고 끝이 뾰족하다.

연보라색 꽃은 꽃잎이 5개이며, 줄기 끝과 윗부분의 잎겨드랑이에 1개씩 위를 향해 달린다. 꽃받침조각은 끝이 예리하게 뾰족하고 가장자리에 검은 샘점이 있다.

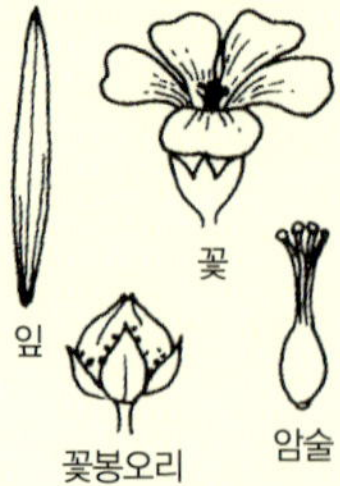

* 한해살이풀
* 줄기 : 40~100cm
* 개화 : 8~9월
* 열매 : 삭과

들꽃 이야기 *산속의 볕이 잘 드는 풀밭이나 길가에서 자란다. '아마풀'이라고도 한다. 잎 모양이 아마과의 아마와 비슷하여 개아마라는 이름이 붙여졌다.*

갯쑥부쟁이 Aster hispidus [국화과]

줄기는 옆으로 벋는 가지가 많다. 줄기의 잎은 양측에 날개가 있다. 줄기 중간 이상의 잎은 어긋나고 주걱모양이다.

자주색 머리모양 꽃차례가 줄기나 가지 끝에 1개씩 달려 산방모양을 이룬다. 꽃차례 둘레에는 흰 혀꽃이, 가운데에는 노란 대롱꽃이 있다.

* 두해살이풀
* 줄기 : 30~100cm
* 개화 : 9~10월
* 열매 : 수과

들꽃 이야기

산과 들의 볕이 잘 드는 마른 땅, 바닷가 암석지에서 자란다. 꽃이 쑥부쟁이와 비슷하며, 바닷가에 많이 자라므로 바닷가를 뜻하는 '갯' 자를 붙여 부른다.

고려엉겅퀴 Cirsium setidens [국화과]

줄기 윗부분에서 가지가 갈라진다. 뿌리에서 난 잎과 밑부분의 잎은 꽃이 피면 말라 죽는다. 줄기 윗부분의 잎은 잎자루가 없다. 잎은 어긋나고 잎몸은 넓은 타원형이다.

줄기나 가지 끝에 자주색 머리모양 꽃차례가 위를 향해 1개씩 달린다.

머리모양 꽃 잎

* 여러해살이풀
* 줄기 : 1m 정도
* 개화 : 7~10월
* 열매 : 수과

들꽃 이야기

산기슭이나 골짜기에서 자란다. 우리나라 고유종으로 '구멍이, 고려가시나물'이라고도 한다. 비슷한 종으로 잎 뒷면이 하얀 흰잎고려엉겅퀴가 있다.

고비 Osmunda japonica [고빗과]

영양잎과 홀씨잎으로 구별된다. 홀씨잎은 영양잎보다 먼저 생기며, 막대모양의 짙은 갈색인 작은 깃조각에 홀씨주머니가 포도송이처럼 달린다.

영양잎은 2회 깃모양 겹잎이며, 홀씨잎과 함께 어릴 때에는 연한 적갈색 솜털이 촘촘하지만 차차 없어진다.

* 여러해살이풀
* 줄기 : 1~1.5m
* 홀씨 : 9~10월
* 열매 : 홀씨

들꽃 이야기 *숲 속 응달에서 자란다. '구척'이라고도 한다. 한방에서 뿌리줄기를 약재로 쓰고, 민간에서는 말린 줄기와 잎, 뿌리를 인후통 등을 치료하는 데 쓴다.*

고비고사리 Coniogramme intermedia [고사릿과]

뿌리줄기가 길게 옆으로 벋으며, 다갈색 비늘조각이 있다. 잎자루는 길이 30~60cm이다.

잎몸은 잎자루와 거의 길이가 같고 1~2회 깃모양으로 갈라진 겹잎이다. 깃조각은 5~8쌍이며, 끝이 꼬리모양으로 길게 뾰족하다. 홀씨주머니무리는 갈색이다.

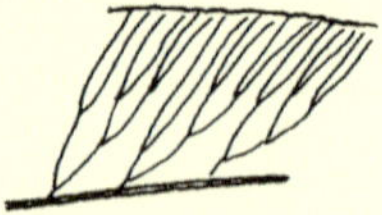

맥이 갈라진 깃조각

* 여러해살이풀

* 줄기 : 25~30cm

* 홀씨 : 9~10월

* 열매 : 홀씨

들꽃 이야기 *북부 지방에서 자라기도 하지만, 주로 제주도, 울릉도, 경기도, 강원도 이남의 산속 나무 그늘에서 자란다. 잎이 아름답고 1년 내내 푸르러 많이 심어 가꾼다.*

고사리 Pteridium aquilinum var. latiusculm [고사릿과]

줄기에 털이 있다. 뿌리줄기가 길게 땅속을 벋으며, 어린 부분에는 갈색 털이 촘촘하다.

크게 자란 잎몸은 2~3회 깃 모양으로 갈라진다. 홀씨주머니무리는 작은 깃조각의 가장자리 맥을 따라 늘어서며, 뒤로 말린 잎 가장자리가 홀씨주머니무리를 덮고 있다.

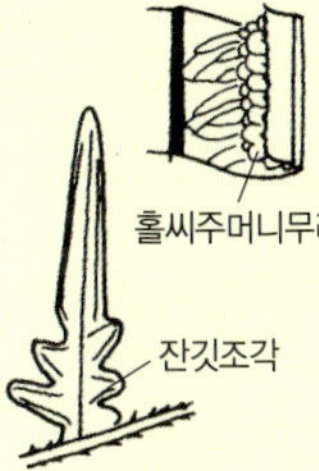

* 여러해살이풀
* 줄기 : 1.5~2m
* 홀씨 : 9~10월
* 열매 : 홀씨

들꽃 이야기 *볕이 잘 드는 산속이나 숲가에서 자란다. 이른 봄에 뿌리줄기에서 군데군데 돋아나는 새순을 나물로 먹는데, 새순은 용수철처럼 감겨 있다가 펼쳐진다.*

고사리삼 Sceptridium ternatum [고사리삼과]

굵은 뿌리가 뭉쳐 있으며, 그 중심에서 줄기가 벋어 밑부분에서 영양잎과 홀씨잎이 갈라진다. 어릴 때 희고 긴 털로 덮여 있다가 자라면서 없어진다.

영양잎은 3~4회 깊게 깃모양으로 갈라진다. 홀씨잎은 영양잎보다 길고, 노란색 홀씨주머니가 많이 달린다.

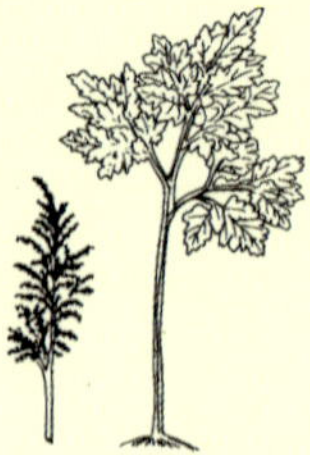

홀씨잎 영양잎

* 여러해살이풀
* 줄기 : 15~40cm
* 홀씨 : 9~10월
* 열매 : 홀씨

들꽃 이야기 *숲 속, 풀밭 또는 골짜기의 냇가에서 자란다. '꽃고사리'라고도 한다. 이름에 들어간 '삼'자에서 짐작할 수 있듯이 약재로서 효능이 좋은 풀이다.*

골등골나물 Eupatorium lindleyanum [국화과]

줄기에 거친 털이 난다. 잎은 6개가 돌려나며, 윗부분에서는 마주나기도 한다. 잎몸은 피침형이며 가장자리에 불규칙한 톱니가 있고 꼬불꼬불한 털이 있으며 뒷면에 샘점이 있다.

줄기 끝에 대롱꽃만인 흰색 또는 연분홍색 머리모양 꽃차례가 산방모양을 이룬다.

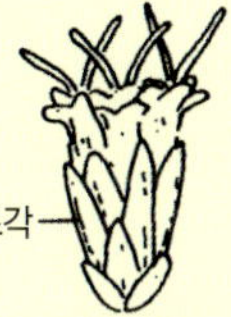

머리모양 꽃

* 여러해살이풀
* 줄기 : 80cm 정도
* 개화 : 8~10월
* 열매 : 수과

들꽃 이야기

별이 잘 드는 산속 풀밭의 습윤지에서 자란다. 어린순은 나물로 먹는다. 한방에서 '택란'이라고 하여 풀 전체를 고혈압 등의 치료에 쓴다. 등골나물에 비해 잎이 좁다.

관중 Dryopteris crassirhizoma [면마과]

잎은 2회 깃모양으로 갈라진다. 깃조각은 자루가 없고 양면에 털 같은 비늘조각이 있으며 윤이 난다. 잎자루는 잎몸보다 훨씬 짧다. 비늘조각은 가장자리에 돌기가 있으며, 위로 갈수록 작고 가늘다.

홀씨주머니무리는 잎몸 윗부분의 깃조각에 달린다.

* 여러해살이풀
* 줄기 : 50~150cm
* 홀씨 : 9~10월
* 열매 : 홀씨

들꽃 이야기

산속 나무 그늘에서 무리지어 자란다. 한방에서 뿌리줄기를 해열, 해독, 지혈하는 약재로 쓴다. 풀에서 성분을 추출하여 약품을 만들기도 한다.

괭이싸리 Lespedeza pilosa [콩과]

줄기는 땅을 기고, 황갈색 털이 촘촘하다. 잎은 어긋나고 3출 겹잎이며, 턱잎은 가늘고 바깥쪽으로 굽는다. 작은 잎은 넓은 원형으로 끝이 얕게 파이며 털이 촘촘하다.

흰 꽃 3~5개가 잎겨드랑이에 모여 달린다. 꼬투리에 그물맥과 부드러운 털이 있다.

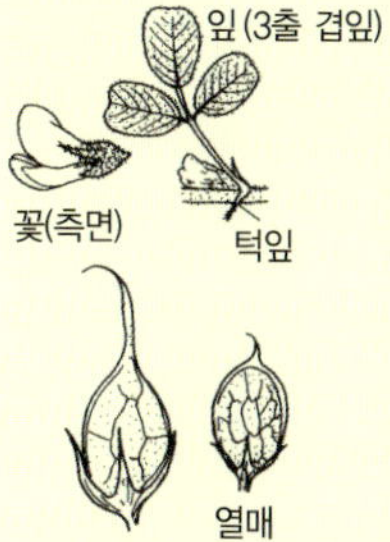

* 여러해살이풀
* 줄기 : 1m 정도
* 개화 : 8~9월
* 열매 : 꼬투리

들꽃 이야기 *황해도, 강원도 이남 산속의 건조한 풀밭이나 자갈밭에서 자란다. 꽃자루 길이가 약 12mm인 긴괭이싸리, 땅비수리와 괭이싸리의 중간형인 땅괭이싸리가 있다.*

구슬사리 Selaginella rossii [부처손과]

줄기는 구리철사처럼 단단하고, 옆으로 벋으면서 두 갈래로 갈라진져 방석 같다. 줄기 윗면은 녹색이고 뒷면은 붉은색이다.

잎은 4줄로 달리며, 측엽은 밑으로 처지면서 수평으로 퍼지고 양쪽 밑에 톱니가 있다. 홀씨주머니무리는 가지 끝에 1~2개씩 달린다.

줄기의 일부

* 여러해살이풀
* 줄기 : 20~25cm
* 홀씨 : 9~10월
* 열매 : 홀씨

들꽃 이야기

중부 지방 이북 산속의 햇볕이 조금 드는 바위에서 자란다. '구실사리'라고도 한다. 비슷한 종인 '선구실사리'는 '선비늘이끼'라고도 하며, 우리나라에서 발견되지 않고 있다.

구절초 Chrysanthemum zawadskii var. latilobum [국화과]

줄기는 곧게 선다. 잎은 깃모양으로 깊게 갈라진다. 잎자루가 길고, 앞면은 녹색이며 뒷면은 담록색이다.

가지 끝에 흰색 또는 연보라색의 머리모양 꽃차례가 1개씩 달린다. 혀꽃은 끝이 2~3개로 얕게 갈라지며, 대롱꽃은 끝이 5개로 갈라진다.

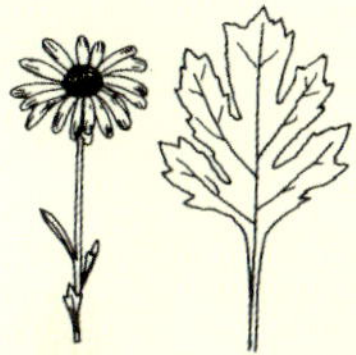

* 여러해살이풀
* 줄기 : 30cm 정도
* 개화 : 9~10월
* 열매 : 수과

들꽃 이야기 *산속의 볕이 잘 드는 풀밭에서 자란다. 음력 9월 9일에 채취한 것이 가장 약효가 좋다고 하여 구절초라는 이름이 붙여졌다. 꽃으로 술을 담그기도 한다.*

그늘돌쩌귀 Aconitum uchiyamai [미나리아재빗과]

잎은 어긋나고, 위로 갈수록 잎자루가 짧아져 맨 위의 잎은 자루가 없다. 잎몸은 3개로 갈라지고, 다시 2개로 갈라져 피침형 또는 좁은 마름모형이며 가장자리에 톱니가 있다.

연보라색 꽃은 가지 끝의 잎겨드랑이나 줄기 끝에 술모양 꽃차례로 달린다.

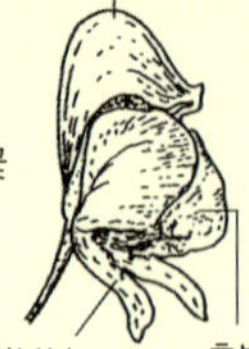

* 여러해살이풀
* 줄기 : 70~100cm
* 개화 : 8~9월
* 열매 : 골돌과

들꽃 이야기 지리산 이북의 산속 응달에서 자란다. '그늘에서 잘 자라는 돌쩌귀'라고 하여 그늘돌쩌귀라는 이름이 붙여졌다. 독이 있는 식물이지만 뿌리는 약용한다.

금강초롱꽃 Hanabusaya asiatica [초롱꽃과]

줄기에 털이 없다. 잎은 줄기 중간에서 4~5개가 어긋나고, 잎자루가 있다. 잎몸은 달걀모양 또는 긴 타원형이며, 끝이 길게 뾰족하다.

종모양의 청자색 꽃은 줄기 끝에 1~2개가 밑을 향해 핀다. 꽃받침은 선모양이며, 꽃부리는 끝이 5개로 얕게 갈라진다.

* 여러해살이풀
* 줄기 : 70cm 정도
* 개화 : 8~9월
* 열매 : 삭과

들꽃 이야기 *경기도 일부와 강원도, 특히 금강산과 설악산에서 자란다. 맨처음 강원도 금강산에서 발견되었으며, 꽃이 청사초롱을 닮아 붙여진 이름이다.*

기름새 Spodiopogon cotulifer [벼과]

줄기는 원기둥모양이고 매끄러우며 기름 냄새가 난다. 뿌리에서 난 잎은 길이 40~60cm, 폭 1~2cm이다.

꽃차례에 4개의 가는 가지가 돌려나 밑으로 처지며, 자갈색 잔이삭은 자루가 긴 것과 짧은 것이 쌍을 이룬다. 익으면 자루를 남기고 잔이삭은 떨어진다.

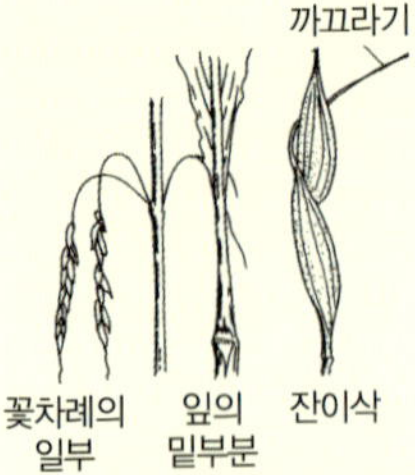

* 여러해살이풀
* 줄기 : 100~120cm
* 개화 : 9월
* 열매 : 영과

들꽃 이야기 *산속에서 자란다. 긴 까끄라기가 있는 이삭은 가축의 먹이로 이용한다. 기름새는 꽃 이삭이 아래로 처지고, 큰기름새는 꽃이삭이 위로 꼿꼿이 선다.*

긴꽃고사리삼 Botrychium strictum [고사리삼과]

줄기 밑부분에서 영양잎과 홀씨잎이 갈라진다. 영양잎은 2~3회 깊게 깃모양으로 갈라지고, 작은 깃조각은 자루가 없으며, 밑부분의 작은 깃조각은 중축(중륵) 양쪽에 좁은 날개가 있다.

홀씨잎은 2회 깃모양으로 갈라지고, 갈색 깃조각이 이삭모양으로 빽빽이 달린다.

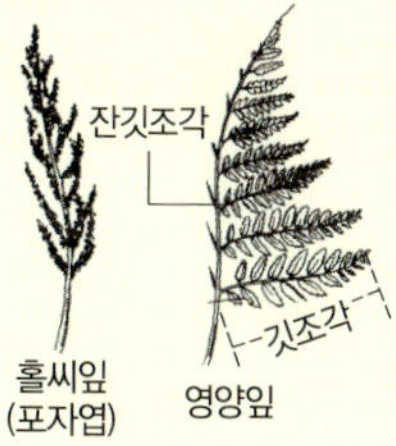

* 여러해살이풀

* 줄기 : 30~80cm

* 홀씨 : 9~10월

* 열매 : 홀씨

들꽃 이야기 *제주도와 경기도의 숲 속에서 자란다. '긴여름꽃고사리'라고도 한다.*

긴담배풀 Carpesium divaricatum [국화과]

줄기에서 몇 개의 가지가 옆으로 벋으며, 뿌리줄기가 짧다. 뿌리에서 난 잎은 꽃이 필 때쯤 말라 없어진다. 줄기잎은 어긋나고 잎자루가 길며, 긴 타원형으로 끝이 뾰족하고 부드러운 털이 있다.

가지 끝에 대롱꽃만인 노란색 머리모양 꽃차례가 1개씩 핀다.

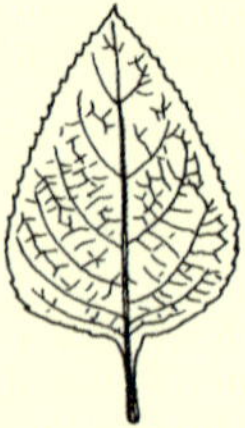

잎

* 여러해살이풀
* 줄기 : 30~100cm
* 개화 : 8~9월
* 열매 : 수과

들꽃 이야기 *산과 들에서 자란다. 천일초라고도 한다. 기다란 꽃자루에 달린 꽃이 긴 담뱃대를 닮아 붙여진 이름이다. 한방에서 뿌리를 말려 약재로 쓴다.*

까실쑥부쟁이 Aster ageratoides [국화과]

줄기에서 많은 가지가 갈라지고 껄끄럽다. 잎은 어긋나고 넓은 피침형이며, 맥이 뚜렷하고 밑부분은 좁아지면서 잎자루를 이룬다.

가지 끝에 혀꽃과 대롱꽃으로 이루어진 머리모양 꽃차례 3~4개가 달린다. 혀꽃은 노란색, 대롱꽃은 연한 자색이다.

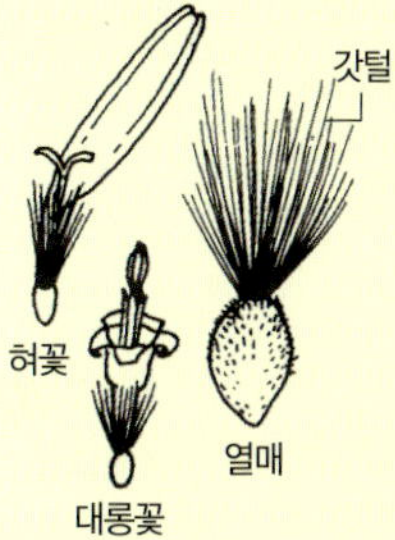

* 여러해살이풀
* 줄기 : 60~100cm
* 개화 : 8~10월
* 열매 : 수과

들꽃 이야기 *산속 풀밭에서 자란다. '산쑥부쟁이, 곰의수해'라고도 한다. 긴 꽃줄기에 피어난 꽃잎이 구절초나 쑥부쟁이보다 훨씬 작고 귀엽다. 꽃말은 '옛사랑, 순정'이다.*

넉줄고사리 Davallia mariesii [넉줄고사릿과]

긴 뿌리줄기가 옆으로 벋으며, 갈색 또는 회갈색 비늘조각으로 덮인다. 비늘조각은 딱딱하고 가장자리가 희며 털이 있다. 잎자루 밑부분에 마디가 있다.

잎은 4회 깃모양으로 갈라진다. 작은 깃조각은 1~2개의 맥이 있으며, 끝에 홀씨주머니무리가 1개씩 붙는다.

* 여러해살이풀
* 줄기 : 10~20cm
* 홀씨 : 9~10월
* 열매 : 홀씨

들꽃 이야기

제주도, 울릉도와 황해도, 강원도 이남의 산속 바위나 나무껍질에서 자란다. 뿌리줄기를 똘똘 말거나 잎을 말려 장식용으로 쓴다. 한방에서 뿌리줄기를 약재로 쓴다.

노랑물봉선 Impatiens nolitangere [봉선화과]

줄기는 다즙질이며 털이 없다. 잎은 어긋나고 잎자루는 길이 2~5cm이다. 잎몸은 끝이 둔하고 가장자리의 톱니도 물결모양으로 둔하며 수가 적다.

줄기 윗부분의 잎겨드랑이에서 노란색 꽃이 1~2개 밑을 향해 피고, 꽃잎 안쪽에 적갈색 반점이 있다.

* 한해살이풀
* 줄기 : 40~70cm
* 개화 : 7~9월
* 열매 : 삭과

들꽃 이야기 *산속 물가나 응달진 습지에서 자란다. 짙은 자주색 꽃의 가야물봉선(검물봉선), 흰 꽃의 흰물봉선, 연한 노란색 꽃의 노랑물봉선, 흰빛 노란색 꽃의 미색물봉선 등이 있다.*

눈괴불주머니 Corydalis ochotencis [현호색과]

줄기가 분백색을 띠며 모가 지고, 밑부분이 땅을 기거나 곧게 서며 많은 가지가 갈라진다. 잎은 어긋나고 2~3회 3출 겹잎이다. 작은 잎은 둥글거나 3개로 갈라지며 잎자루에는 좁은 날개가 있다.

꽃은 담황색이며, 며느리발톱은 꽃 길이의 반 정도이다.

* 두해살이풀
* 줄기 : 1m 정도
* 개화 : 8~9월
* 열매 : 삭과

들꽃 이야기

숲 속 응달이나 습지에서 자란다. 연약한 줄기가 여러 개의 가지로 갈라지면서 비스듬히 누운 것처럼 보여 누운괴불주머니로 불리다가 눈괴불주머니가 되었다.

단풍취 Ainsliaea acerifolia [국화과]

줄기는 갈색 털이 있으며, 가지는 갈라지지 않는다. 잎자루가 있으며, 잎몸은 단풍잎처럼 여러 갈래로 갈라진다.

줄기 끝에 대롱꽃만인 머리모양 꽃차례가 술모양으로 달리고, 대롱꽃은 끝이 5개로 갈라지며 흰색이다. 총포는 기둥모양으로 여러 줄로 늘어선다.

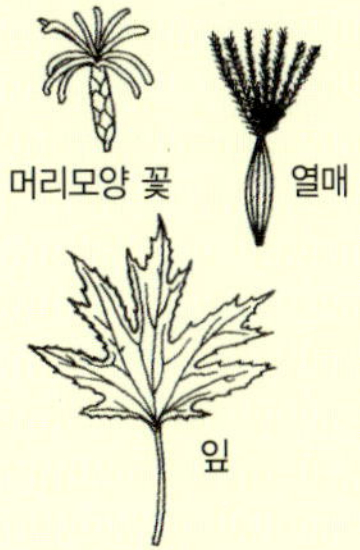

* 여러해살이풀
* 줄기 : 40~50cm
* 개화 : 7~9월
* 열매 : 수과

들꽃 이야기

깊은 산속 나무 그늘에서 자란다. 잎 가장자리가 7~11개로 갈라진 것이 단풍잎과 비슷하여 단풍취라는 이름이 붙여졌다. 가야산에는 가야단풍취가 자란다.

담배풀 Carpesium abrotanoides [국화과]

줄기 윗부분에서 가지가 갈라지며 잔털이 촘촘히 난다. 뿌리에서 난 잎은 긴 잎자루가 있고, 꽃이 필 무렵이면 말라 죽는다. 줄기잎은 어긋나고 긴 타원형이다.

대롱꽃만인 노란색의 머리모양 꽃차례가 잎겨드랑이에 1개씩 이삭모양으로 달린다.

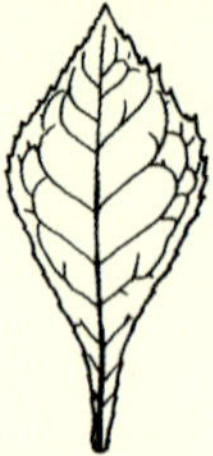

잎

* 두해살이풀
* 줄기 : 50~100cm
* 개화 : 8~9월
* 열매 : 수과

들꽃 이야기

산속이나 숲가에서 자란다. 가지 끝 꽃자루에 달린 꽃이 담뱃대를 닮아 담배풀이라고 부른다. 열매에서 점액이 나와 동물의 몸이나 사람의 옷에 붙어 널리 퍼진다.

닻꽃 Halenia corniculata [용담과]

줄기는 네모지고 곧게 선다. 잎은 마주나고, 긴 타원형 또는 좁은 달걀모양으로 끝이 뾰족하고 3맥이 뚜렷하다.

줄기 끝이나 잎겨드랑이에 연노란색 꽃이 1~2개씩 핀다. 꽃부리는 4개로 깊게 갈라지며, 꽃잎의 밑부분은 가늘어져 머느리발톱을 이룬다.

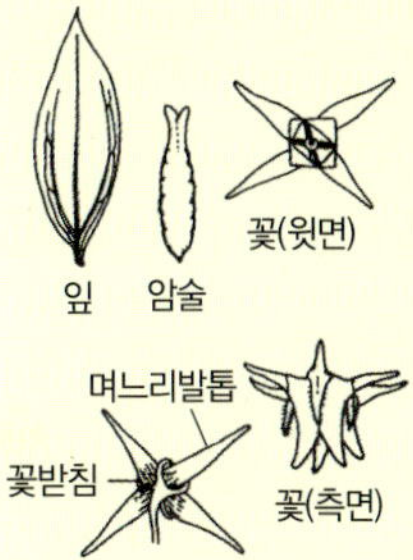

* 한두해살이풀
* 줄기 : 10~60cm
* 개화 : 8~9월
* 열매 : 삭과

들꽃 이야기 *강원도 북부, 황해도 이북의 숲 속에서 자란다. 꽃이 닻(배를 한곳에 멈춰 있게 하려고 줄을 매어 물 밑바닥으로 가라앉히는 갈고리가 달린 기구)을 닮아 닻꽃이라고 부른다.*

대새풀 Cleistogenes hackelii [볏과]

뿌리줄기는 짧고 딱딱하며 비늘조각에 덮이고 기는줄기는 없다. 잎은 2줄로 어긋나고, 밑부분은 급격히 좁아지며 잎집과 함께 털이 있다.

꽃은 줄기 윗부분에 느슨한 원뿔 꽃차례를 이루고, 잔이삭은 2~3개의 잔꽃으로 이루어지며, 붉은 보랏빛 녹색이다.

* 여러해살이풀
* 줄기 : 4~10cm
* 개화 : 8~10월
* 열매 : 영과

들꽃 이야기 *볕이 잘 드는 조금 메마른 숲 속 풀밭에서 자란다. 비슷한 종으로 까끄라기의 길이가 10mm 정도인 수염대새풀이 있다.*

더덕 Codonopsis lanceolata [초롱꽃과]

뿌리는 굵으며 긴 방추형이고, 줄기는 털이 없다. 잎은 피침형이며 어긋나고, 가지 윗부분에서 마디 사이가 좁아진다.

꽃은 잎겨드랑이에 1개씩 달린다. 꽃부리는 황백색이고 안쪽에 자갈색 반점이 있으며, 끝이 5개로 갈라져 뒤로 젖혀진다. 꽃받침조각은 녹색이다.

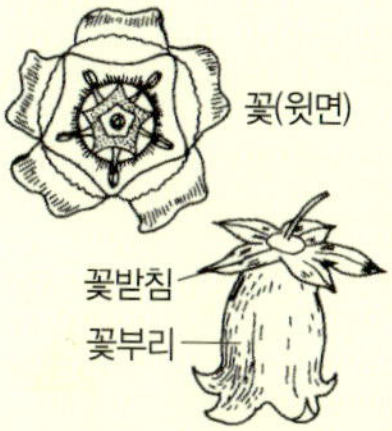

* 여러해살이풀
* 줄기 : 2m 정도
* 개화 : 8~9월
* 열매 : 삭과

들꽃 이야기 숲 속에서 자란다. '사삼, 백삼'이라고도 한다. 뿌리가 인삼의 뿌리와 비슷하고, 잎이 4장씩 모여 달려 있어서 '사엽당삼'이라는 이름이 붙여졌다.

도깨비고비 Cyrtomium falcatum [면마과]

굵은 뿌리줄기 끝에서 잎이 뭉쳐난다. 비늘조각은 갈색이나 흑갈색을 띠며, 끝이 예리하게 뾰족하다.

잎자루를 포함하여 잎은 길이 80cm, 폭 10~25cm이다. 깃조각은 끝이 길게 뾰족하고 밑부분은 둥글다. 홀씨주머니무리는 잎 뒷면 맥 위에 퍼져 있다.

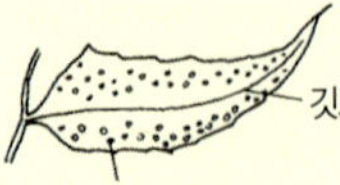

* 여러해살이풀
* 줄기 : 70~80cm
* 홀씨 : 9~10월
* 열매 : 홀씨

들꽃 이야기

경기도 이남과 제주도, 울릉도 해변 산속 바위틈에서 자란다. '도깨비쇠고비'라고도 한다. 깃조각이 무서운 도깨비 발톱을 닮아 도깨비고비라고 부른다.

도라지 Platycodon grandiflorum [초롱꽃과]

줄기를 자르면 흰 유액이 나온다. 잎자루가 없고, 잎은 어긋나지만 줄기 밑부분에서는 마주나거나 돌려난다. 잎은 긴 달걀모양으로 앞면은 녹색이고 뒷면은 회백색이다.

줄기 끝이나 윗부분의 잎겨드랑이에 흰색 또는 보라색 꽃이 피고, 꽃부리는 종모양이다.

* 여러해살이풀
* 줄기 : 40~100cm
* 개화 : 7~9월
* 열매 : 삭과

들꽃 이야기 *산과 들에서 자란다. '길경, 도랏, 길경채, 백약, 질경, 산도라지'라고도 한다. 뿌리는 먹거나 약재로 쓴다. 꽃말은 '사랑'이다.*

등골나물 Eupatorium chinense var. simplicifolium [국화과]

줄기에 거센 짧은 털이 촘촘하여 껄끄럽다. 잎은 마주나며 짧은 잎자루가 있다. 잎몸은 긴 타원형이며, 끝이 짧고 뾰족하며 양면에 털이 있고, 뒷면에 샘점이 있다.

흰색 또는 연분홍색 대롱꽃만인 머리모양 꽃차례가 가지 끝에 산방모양으로 달린다.

* 여러해살이풀
* 줄기 : 2m 정도
* 개화 : 8~10월
* 열매 : 수과

들꽃 이야기 *산속이나 숲가에서 자란다. 잎맥이 등골을 닮아 등골나물이라고 부른다. 봄, 여름에 연한 잎과 줄기를 삶아 나물로 먹는다. 한방에서 풀 전체를 약재로 쓴다.*

멸가치 Adenocaulon himalaicum [국화과]

줄기는 거미줄 같은 털이 있다. 뿌리에서 난 잎은 콩팥모양이며, 잎 뒷면은 흰 솜털이 빽빽하다. 줄기잎은 어긋나며, 뿌리잎과 비슷하다.

줄기 윗부분에서 갈라진 가지에 흰색 머리모양 꽃차례가 술 모양으로 달리고, 머리모양 꽃은 대롱꽃으로만 이루어진다.

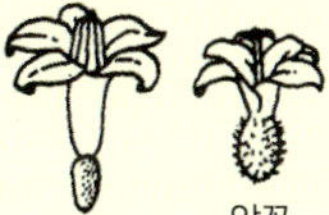

* 여러해살이풀
* 줄기 : 50~100cm
* 개화 : 8~9월
* 열매 : 수과

들꽃 이야기 *숲 속 응달에서 자란다. '선경채, 화상채, 호로채, 홍취, 명가치, 옹취, 음취나물' 이라고도 한다. 열매 끝에 까칠까칠한 가시가 있어 옷이나 털에 잘 달라붙는다.*

모싯대 Adenophora remotiflora [초롱꽃과]

줄기는 곧게 또는 비스듬히 서고, 털이 없다. 잎은 어긋나고 잎자루가 길며, 잎몸은 달걀모양 또는 넓은 피침형이다.

줄기 윗부분에 종모양의 연한 청자색 꽃 여러 개가 원뿔 꽃차례를 이루며 밑을 향해 한쪽 방향으로 핀다. 꽃받침조각과 꽃자루에 흰 털이 있다.

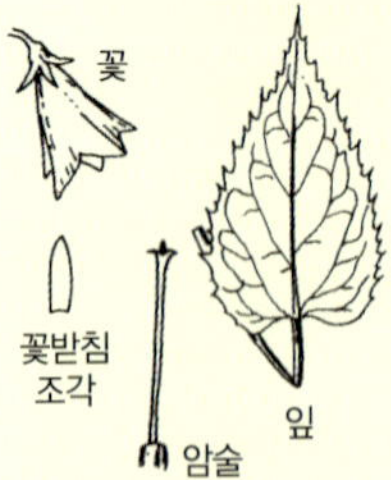

* 여러해살이풀

* 줄기 : 40~100cm

* 개화 : 8~9월

* 열매 : 삭과

들꽃 이야기 응달진 숲 속에서 자란다. 모싯대라고도 한다. 어린잎은 나물이나 쌈으로 먹는다. 한방에서 뿌리를 말려서 독성을 풀어주는 약재로 쓴다.

물봉선 Impatiens textori [봉선화과]

줄기에 털이 없고 다즙질이며, 아랫부분의 마디는 부풀어 있다. 잎은 어긋나고, 넓은 마름모 모양의 타원형이다.

잎겨드랑이에 홍자색 꽃이 7~8개 밑을 향해 핀다. 꽃차례 축에 돌기처럼 생긴 자홍색 털이 있다. 꽃잎은 3개로, 아래 2개는 크다.

* 한해살이풀
* 줄기 : 40~60cm
* 개화 : 8~9월
* 열매 : 삭과

들꽃 이야기

산속 물가나 습지 응달에서 자란다. 전 세계에 400여 종이 분포하며 우리나라에는 봉선화, 물봉선, 노랑물봉선 등 6종이 있다.

미역취 Solidago virgaaurea var. asiatica [국화과]

줄기 전체에 잔털이 있고, 흔히 밑부분은 흑자색이다. 잎은 어긋나고 달걀모양 또는 긴 타원형이며, 잎자루에 날개가 있다.

잎겨드랑이에 노란색 혀꽃과 대롱꽃으로 이루어진 머리모양 꽃이 이삭 꽃차례를 이루며, 보통 혀꽃은 암꽃, 대롱꽃은 양성 꽃이다.

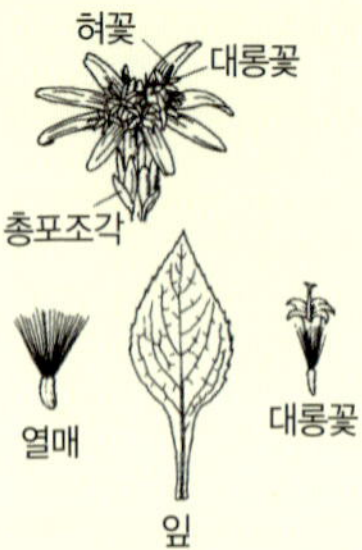

* 여러해살이풀
* 줄기 : 30~80cm
* 개화 : 8~10월
* 열매 : 수과

들꽃 이야기

낮은 산이나 볕이 잘 드는 풀밭 또는 숲 속 응달에서 자란다. 어린순은 나물로 먹는데, 어린순을 씹으면 미역처럼 미끈미끈하여 미역취라고 부르는 듯하다.

바위구절초 Chrysanthemum zawadskii [국화과]

뿌리줄기는 길게 옆으로 벋고, 흰 잔털이 촘촘하다. 잎은 어긋나고 잎몸은 2회 깃모양으로 깊게 갈라진다. 줄기잎과 뿌리잎은 비슷하지만, 위로 갈수록 잎자루가 짧아진다.

머리모양 꽃은 노란색 대롱꽃과 분홍색 혀꽃으로 이루어진다.

* 여러해살이풀
* 줄기 : 15~30cm
* 개화 : 9~10월
* 열매 : 수과

들꽃 이야기 *설악산과 관북 지방으로 이어지는 고산 지대의 중턱 이상에서 자란다. 줄기잎과 뿌리잎은 위로 향할수록 잎자루가 짧아지고, 맨 윗부분에서는 잎몸의 밑부분이 줄기로 흐른다.*

바위손 Selaginella involvens [부처손과]

전체적으로 황록색 때로는 붉은빛이 돈다. 옆으로 기는 뿌리줄기에서 줄기가 돋는다.

비늘조각 같은 잎이 빽빽이 달려 하나의 잎처럼 보인다. 비늘잎은 위쪽 잎이 아래쪽 잎보다 작고 중간 맥이 뚜렷하다. 홀씨주머니이삭은 가지 끝에 1개씩 달리며 네모지다.

줄기의 일부

* 여러해살이풀
* 줄기 : 10~20cm
* 홀씨 : 9~10월
* 열매 : 홀씨

들꽃 이야기 *산속 바위에서 자란다. 일본 이와테 지방에서 바위에 손도장을 찍어 귀신에게 나쁜 짓을 하지 않겠다는 다짐을 받았다는 이야기가 전한다.*

백부자 Aconitum koreanum [미나리아재빗과]

줄기는 곧게 선다. 잎은 어긋나고, 잎몸은 3~5개로 갈라지며 조각은 다시 가늘게 갈라진다.

꽃은 연한 노란색이며, 드물게 자주색으로 핀다. 줄기 끝이나 윗부분의 잎겨드랑이에 7~8개의 술모양 꽃차례를 이룬다. 윗부분의 꽃받침조각은 고깔모자모양이다.

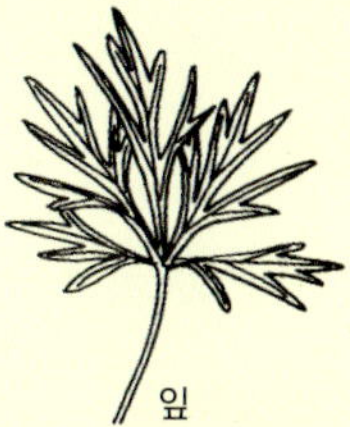

잎

* 여러해살이풀
* 줄기 : 1m 정도
* 개화 : 9~10월
* 열매 : 골돌과

들꽃 이야기

숲 속에서 자란다. '노랑돌쩌귀'라고도 한다. 뿌리에 강한 독이 있으나, 한방에서는 성질이 따뜻한 덩이뿌리를 중풍 등을 치료하는 약재로 쓴다.

뱀고사리 Athyrium yokoscense [면마과]

짧은 뿌리줄기에서 여러 개의 잎이 뭉쳐난다. 잎자루는 잎몸보다 짧으며 밑부분에 갈색 비늘조각이 뭉쳐난다. 잎몸은 2회 깃모양으로 갈라진다.

홀씨주머니무리는 작은 깃조각의 중앙맥과 가장자리의 중간부에 달린다. 포막은 갈고리처럼 구부러지거나 타원형이다.

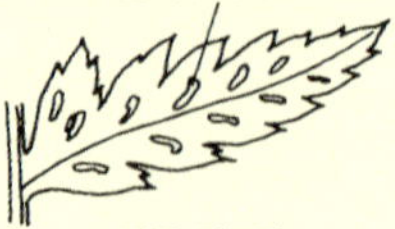

* 여러해살이풀
* 줄기 : 15~40cm
* 홀씨 : 9~10월
* 열매 : 홀씨

들꽃 이야기

산속에서 자란다. 광산 부근 등 다른 식물이 자라지 못하는 척박한 곳에서도 무성하게 자란다. 광산물의 지표식물로 카드뮴 등 중금속을 흡수한다.

뱀톱 Lycopodium serratum [석송과]

줄기 밑부분은 땅을 기고, 흔히 윗부분에 살눈이 생겨 번식한다. 잎은 굵은 1맥이 있고 가장자리에 불규칙한 톱니가 있으며 밑부분이 자루처럼 좁아진다.

잎 모양, 크기, 잎차례에 변이가 많다. 홀씨주머니는 윗부분의 잎겨드랑이에 달린다. 홀씨는 연노란색이다.

줄기의 일부

* 여러해살이풀
* 줄기 : 10~20cm
* 홀씨 : 9~10월
* 열매 : 홀씨

들꽃 이야기 *산속 응달진 습지에서 자란다. 풀이 전체적으로 뱀처럼 생겼으며, 빽빽하게 모여서 난 잎은 톱처럼 생겨 뱀톱이라고 부른다.*

부채괴불이끼 Gonocormus minutus [처녀이끼과]

뿌리줄기는 실모양으로 검은 털이 촘촘하며 많은 가지가 갈라진다. 잎은 홑잎이며, 길이 6~10mm의 자루가 있다. 잎몸은 거의 원형이며 가장자리는 얕고 불규칙하게 갈라진다.

깃조각은 다시 2개로 갈라지며 1맥이 있고, 끝에 홀씨주머니무리가 달린다.

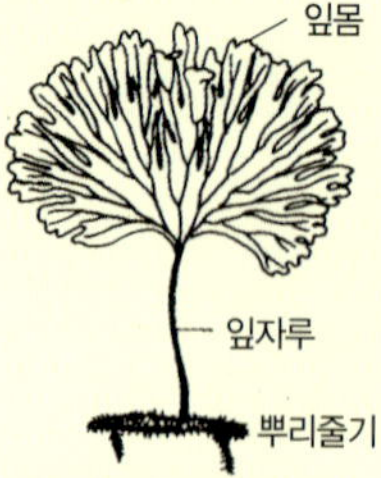

* 여러해살이풀
* 줄기 : 1~2cm
* 홀씨 : 9~10월
* 열매 : 홀씨

들꽃 이야기

중부 지방 이남과 제주도, 울릉도의 숲 속 응달진 습한 바위나 나무껍질에 붙어 자란다. 손바닥처럼 깊이 갈라진 둥근 잎이 부채 같아 부채괴불이끼라고 부른다.

부처손 Selaginella tamariscina [부처손과]

바위손과 비슷하며, 줄기 윗부분에 다발로 뭉쳐난 여러 개의 가지가 방사상으로 퍼지며, 마르면 안쪽으로 말린다.

짙은 녹색을 띠는 잎은 4줄로 달리며 가장자리에 잔톱니가 있고 끝에 흰 털이 있다. 홀씨주머니이삭은 가지 끝에 1개씩 달린다.

줄기의 일부

* 여러해살이풀
* 줄기 : 20~30cm
* 홀씨 : 9~10월
* 열매 : 홀씨

들꽃 이야기 *산속 바위에서 자란다. 바위에 붙어서 자라며 건조한 조건에 잘 견딘다. 한자 이름이 '보처수'라고 하는 데서 유래하여 부처손이라고 부른다.*

산구절초 Chrysanthemum zawadskii [국화과]

줄기는 곧게 서거나 비스듬히 기울고 털이 있다. 잎은 어긋나고 깊게 갈라진다. 잎은 5~7개로 갈라지며, 피침형 또는 선모양이다.

가지 끝에 지름 3~6cm의 머리모양 꽃차례가 1개씩 달린다. 대롱꽃은 노란색이고, 혀꽃은 연한 분홍색 또는 자색이다.

* 여러해살이풀
* 줄기 : 70cm 정도
* 개화 : 8~9월
* 열매 : 수과

들꽃 이야기 *산속의 볕이 잘 드는 풀밭에서 자란다. 구절초와 비슷하지만, 잎이 좁게 갈라지는 점이 다르다. 한방에서 풀 전체를 위장병 등을 치료하는 약재로 쓴다.*

산국 Chrysanthemum boreale [국화과]

뿌리줄기가 짧고, 줄기는 곧게 서며, 윗부분에서 많은 가지가 갈라진다. 잎은 어긋나고 잎자루는 길이 1~2cm이다. 잎몸은 긴 타원형이며 깊게 갈라지고 뒷면에 털이 있다.

노란색 머리모양 꽃차례가 줄기나 가지 끝에 산방상으로 달린다. 혀꽃은 1줄로 늘어선다.

* 여러해살이풀
* 줄기 : 1~1.5m
* 개화 : 9~10월
* 열매 : 수과

들꽃 이야기 산속이나 숲가 또는 인가 주변에서 자란다. 들국화의 한 종류로 '개국화'라고도 한다. '산에서 자라는 국화'라는 뜻으로 산국이라고 부른다.

산비장이 Serratula coronata var. insularis [국화과]

줄기는 곧게 선다. 뿌리에서 난 잎은 긴 잎자루가 있으며, 잎몸은 6~7쌍으로 갈라지고, 뒷면은 연한 녹색이다.

꽃은 줄기 끝에 연한 적자색의 머리모양 꽃차례를 이루어 여러 개가 위를 향해 달린다. 암술대 끝이 깊게 2개로 갈라져 밑으로 말리는 특징이 있다.

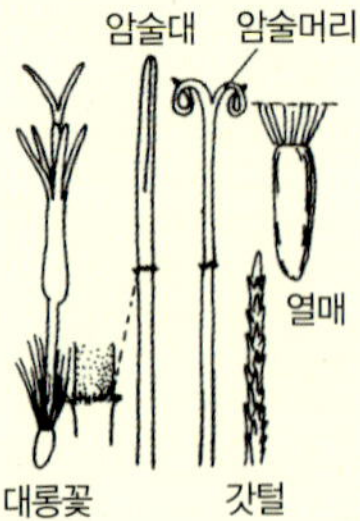

* 여러해살이풀
* 줄기 : 1m 정도
* 개화 : 8~10월
* 열매 : 수과

들꽃 이야기 *산속의 볕이 잘 드는 풀밭에서 자란다. 조선에 비장이라는 무관이 있었는데, 들꽃을 이 비장에 비유하여 붙여진 이름인 듯하다.*

산오이풀 Sanguisorba hakusanensis [장미과]

뿌리에서 난 잎은 작은 잎이 9~13개인 홀수 깃모양 겹잎이다. 잎 뒷면은 회백색이고, 가장자리에 규칙적으로 톱니가 가지런히 있다.

꽃은 자홍색으로, 가지 끝에 길이 4~10cm의 이삭 꽃차례를 이루어 밑으로 처진다. 꽃잎은 없고 꽃받침은 4개로 갈라진다.

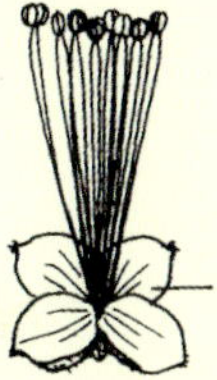

꽃

* 여러해살이풀
* 줄기 : 30~90cm
* 개화 : 8~9월
* 열매 : 수과

들꽃 이야기

한라산, 지리산, 덕유산과 설악산 이북의 산중턱 이상에서 자란다. 오이풀, 큰오이풀, 가는오이풀과 비교해 보면 수술이 많은 특징이 있다.

삽주 Atractylodes japonica [국화과]

암수 그루가 다르다. 줄기는 딱딱하다. 뿌리에서 난 잎과 밑부분의 잎은 꽃이 피면 말라 죽는다. 줄기잎은 마주나며, 가장자리에 가시 같은 톱니가 있고, 앞면은 윤이 나고 뒷면은 흰빛을 띤다.

줄기나 가지 끝에 흰색 대롱꽃만이 머리모양 꽃차례로 핀다.

* 여러해살이풀
* 줄기 : 30~90cm
* 개화 : 8~10월
* 열매 : 수과

들꽃 이야기 *산속에서 자란다. 한방에서 뿌리줄기를 '백출'이라고 하는데, 맛이 달고 쓰며 성질이 따뜻하여 입맛을 돋우고 소화를 돕는 역할을 한다.*

세잎돌쩌귀 Aconitum triphyllum [미나리아재빗과]

잎은 어긋나고 잎자루가 길다. 잎몸은 3개로 깊게 갈라지고, 양측의 조각은 다시 2개로 갈라지며 끝이 뾰족하고 가장자리에 2~3쌍의 톱니가 있다.

줄기 끝이나 윗부분 잎겨드랑이의 긴 꽃자루에 푸른색 꽃이 2~3개씩 핀다. 꽃자루에 털이 촘촘하다.

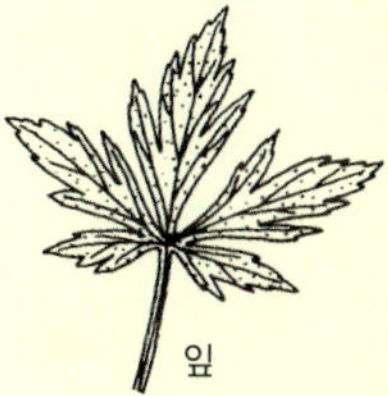

잎

* 여러해살이풀
* 줄기 : 1~1.5m
* 개화 : 9~10월
* 열매 : 골돌과

들꽃 이야기 *경기도와 강원도 이남의 숲 속에서 자란다. '잎이 3개인 돌쩌귀'라고 하여 세잎돌쩌귀라고 부른다. 꽃받침조각이 문짝을 여닫는 모습을 연상시킨다.*

소경불알 Codonopsis ussuriensis [초롱꽃과]

더덕과 비슷하지만, 더덕보다 작고 뿌리는 덩이모양이며 자르면 유액이 나온다. 잎몸은 달걀모양 타원형이며, 뒷면에 흰 털이 많고 가장자리가 밋밋하다.

꽃부리는 종모양이고, 끝이 5개로 얕게 갈라져 뒤로 젖혀지며 자주색이다. 꽃받침은 녹색을 띤다.

꽃이 달린 상태

* 여러해살이풀
* 줄기 : 2~2.5m
* 개화 : 8~9월
* 열매 : 삭과

들꽃 이야기

경기도, 강원도 이북의 숲 속에서 자란다. '만삼아재비'라고도 한다. 공모양의 뿌리는 눈먼 사람이 더듬듯이 만져 보아야 안다고 하여 붙여진 이름이다.

속새 Equisetum hyemale [속샛과]

영양줄기와 홀씨줄기의 구별이 없다. 땅속으로 검은 뿌리줄기가 벋고, 많은 줄기가 돋아난다.

기둥모양의 줄기는 딱딱하며 짙은 녹색을 띠고, 가지는 갈라지지 않는다. 마디는 검은색 또는 갈색이다. 홀씨주머니이삭은 줄기 끝에 달리며, 끝이 뾰족하다.

* 여러해살이풀
* 줄기 : 30~100cm
* 홀씨 : 9~10월
* 열매 : 홀씨

들꽃 이야기 *제주도, 울릉도와 강원도 이북의 깊은 산속 응달진 습지에서 자란다. 줄기에 규산염이 축적되어 딱딱하므로 나무 등을 갉아내는 데 쓴다.*

솔이끼 Polytrichum commune [솔이낏과]

줄기는 곧게 서며, 잎은 비늘조각모양으로 빽빽이 난다. 붉은 갈색의 줄기 끝에 홀씨주머니가 달린다. 잎이 뾰족하고 헛뿌리, 줄기, 잎이 어느 정도 모양을 갖추고 있다.

솔이끼 무리를 선류, 우산이끼 무리를 태류라고 한다. 홀씨가 퍼져 번식한다.

* 여러해살이풀
* 줄기 : 5~20cm
* 개화 : 피지 않음
* 열매 : 홀씨

들꽃 이야기 *산속 그늘진 습지에 모여 자란다. 우리나라, 중국 만주, 일본, 러시아 사할린, 유럽, 북아메리카 등지에 분포한다. 생명력이 강해서 열대나 한대 지방 어디에서도 잘 자란다.*

솔체꽃 Scabiosa mansenensis [산토끼꽃과]

줄기에 잔털이 있고, 뿌리에서 난 잎은 꽃이 필 때 말라 죽는다. 잎은 마주나고, 깃모양으로 갈라진다.

꽃은 줄기 끝에 연한 청자색 머리모양 꽃차례를 이룬다. 중심부에는 대롱꽃, 주변부에는 혀꽃 모양이다. 꽃부리 밑부분에 꽃받침이 변한 가시가 있다.

* 두해살이풀
* 줄기 : 30~80cm
* 개화 : 8~9월
* 열매 : 수과

들꽃 이야기

제주도와 경북, 충북 이북 산속의 볕이 잘 드는 풀밭에서 자란다. 잎이 솔잎처럼 체를 친 듯 매우 가늘어서 솔체꽃이라고 부른다.

송악 Hedera rhombea [두릅나뭇과]

줄기에서 많은 공기뿌리가 돋아 물체에 붙는다. 잎몸은 두껍고, 어린 가지의 잎은 얕게 갈라지며 오래된 가지의 잎은 끝이 뾰족한 달걀모양이다. 잎은 갈라지지 않고 가장자리가 밋밋하다.

황록색 꽃은 가지 끝에 둥글게 머리모양으로 여러 개 핀다. 꽃받침은 뚜렷하지 않다.

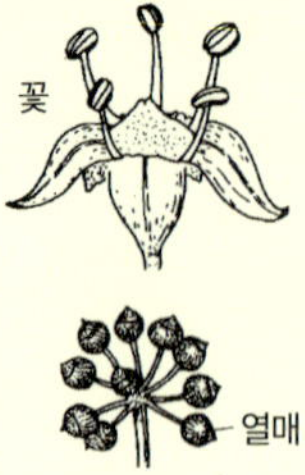

* 덩굴 식물
* 줄기 : 10m 이상
* 개화 : 10월
* 열매 : 핵과

들꽃 이야기 *제주도, 울릉도와 충청 이남 산지의 나무, 바위에 붙어 자란다. '아이비, 담장나무'라고도 한다. 소가 잘 먹어서 '소밥나무'라고도 한다. 잎과 열매가 아름다워 지피식물로 심는다.*

수리취 Synurus deltoides [국화과]

줄기는 자색을 띠며 거미줄 같은 털이 촘촘히 난다. 잎은 어긋나고 긴 자루가 있으며, 잎몸은 삼각모양 달갈형 또는 긴 타원형이다. 잎 앞면은 녹색을 띠고, 뒷면은 솜털이 난다.

가지 끝에 대롱꽃만인 자주색의 머리모양 꽃차례가 옆이나 밑을 향해 달린다.

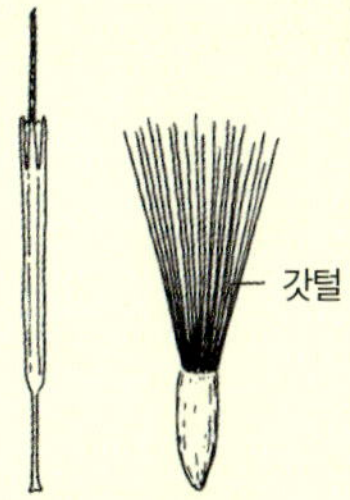

* 여러해살이풀
* 줄기 : 100cm 정도
* 개화 : 9~10월
* 열매 : 수과

들꽃 이야기 *산속 볕이 잘 드는 풀밭에서 자란다. '떡취, 산우방, 개취'라고도 한다. 어린잎을 떡에 넣어 먹는데, 단오에 먹는 수리취 절편이 유명하다. 잎은 말려서 부싯깃으로 쓴다.*

실새풀 Calamagrostis arundinacea [볏과]

뿌리줄기가 짧고, 줄기는 단단하며 밑에서부터 곧게 선다. 잎 표면과 가장자리가 껄끄럽다.

원뿔 꽃차례는 길이 10~50cm로, 마디마다 돌려난 가는 가지에 여러 개의 잔이삭이 달린다. 잔이삭은 1개의 잔꽃으로 이루어지고, 잔꽃의 밑부분에는 긴 털이 있다.

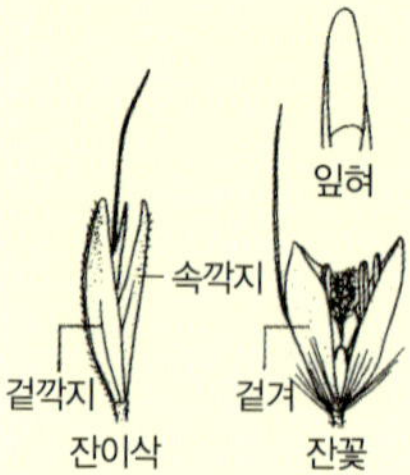

* 여러해살이풀

* 줄기 : 50~150cm

* 개화 : 8~9월

* 열매 : 영과

들꽃 이야기

풀밭이나 산속 숲가에서 자란다. '메뚜기피'라고도 한다. 사료로 쓰거나 종이 만드는 원료로 쓴다. 비슷한 종으로 제주새풀이 있다.

십자고사리 Polystichum tripteron [면마과]

곧게 선 짧은 뿌리줄기에서 여러 개의 잎이 뭉쳐난다. 잎자루 밑부분에 비늘조각이 난다. 잎몸은 2회 깃모양 겹잎으로, 잎 전체가 십자모양을 이룬다.

작은 깃조각은 위쪽으로 조금 휘어지며, 뒷면 중앙맥과 가장자리 사이에 홀씨주머니무리가 2~4줄로 늘어선다.

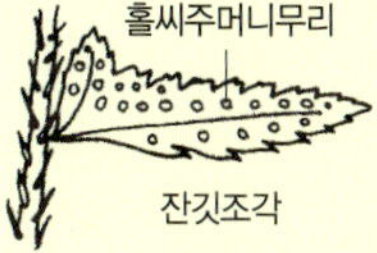

* 여러해살이풀
* 줄기 : 30~60cm
* 홀씨 : 9~10월
* 열매 : 홀씨

들꽃 이야기

산속 나무 그늘에서 자란다. 잎의 생김새가 십자모양을 이루고 있어 십자고사리라고 부른다. 톱니가 깊게 갈라지는 것을 큰십자고사리라고 한다.

쑥방망이 Senecio argunensis [국화과]

줄기는 곧게 서거나 쓰러진다. 뿌리에서 난 잎은 꽃이 필 무렵 말라 죽는다. 줄기 잎은 어긋나며 잎자루가 없다. 깃모양의 잎 앞면은 털이 없고 짙은 녹색이며, 뒷면은 털이 있어 회백색이다.

혀꽃과 대롱꽃으로 된 노란색 머리모양 꽃차례는 산방 꽃차례를 이룬다.

* 여러해살이풀
* 줄기 : 65~150cm
* 개화 : 9~10월
* 열매 : 수과

들꽃 이야기

산속 풀밭이나 냇가에서 자란다. 줄기에 흐릿한 능선과 거미줄 같은 털이 나 있으며, 새깃처럼 갈라진 잎의 생김새가 쑥의 잎과 비슷하다.

쓴풀 Swertia japonica [용담과]

줄기는 곧게 서며 연한 보라색을 띤다. 잎은 마주나며 잎자루가 없다. 잎몸은 선형 또는 피침형으로, 가장자리가 밋밋하며 뒤로 말린다.

꽃은 줄기나 가지 끝에 3~5개 달린다. 꽃받침은 5개로 갈라지고, 꽃부리는 흰 바탕에 보라색 줄무늬가 있다.

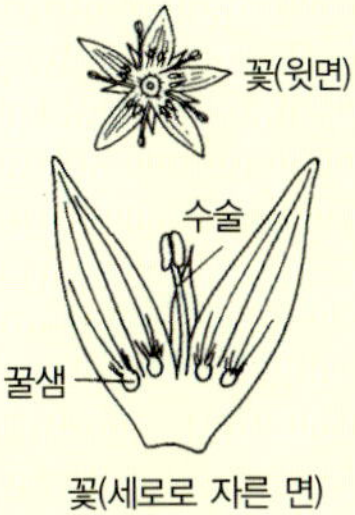

* 한두해살이풀

* 줄기 : 5~20cm

* 개화 : 9~10월

* 열매 : 삭과

들꽃 이야기

제주도와 남부 지방 산속의 볕이 잘 드는 풀밭에서 자란다. 풀에서 쓴맛이 난다고 하여 쓴풀이라고 부른다. 한방에서 쓴맛이 나는 잎을 뜯어서 그늘에 말려 약재로 쓴다.

애기일엽초 Lepisorus onoei [고란초과]

뿌리줄기가 길게 옆으로 벋고, 잎은 일엽초보다 느슨하게 난다. 잎 끝은 둥글며 가장자리는 밋밋하고 뒤로 조금 말린다. 잎 앞면은 짙은 녹색, 뒷면은 연녹색을 띠며 잎자루는 거의 없다.

홀씨주머니무리는 잎 뒷면 윗부분 중앙맥 좌우로 2줄로 늘어선다.

* 여러해살이풀
* 줄기 : 3~8cm
* 홀씨 : 9~10월
* 열매 : 홀씨

들꽃 이야기

제주도, 울릉도와 남해 도서 지방, 강원도 이남 산속 습한 바위틈이나 나무껍질에서 자란다. 일엽초와 비슷하게 생겼지만, 잎이 숟가락처럼 생겼다.

여우오줌 Carpesium macrocephalum [국화과]

줄기에 잔털이 촘촘히 난다. 줄기잎은 어긋나고 긴 타원형이며, 가장자리에 불규칙한 톱니가 있다. 잎 밑부분은 쐐기모양이고, 잎자루까지 자라 넓은 날개를 이룬다.

암꽃과 양성의 대롱꽃이 섞여 피고, 노란색 머리모양 꽃차례를 이룬다. 열매에 샘점이 있다.

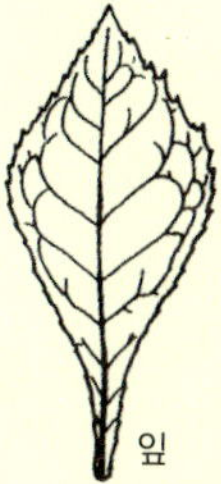

* 여러해살이풀
* 줄기 : 1m 정도
* 개화 : 8~9월
* 열매 : 수과

들꽃 이야기 *경기도, 강원도 이북 숲 속에서 자란다. '왕담배풀'이라고도 한다. 줄기를 만지면 오줌에서 나는 지린한 냄새가 난다고 하여 여우오줌이라고 부른다.*

영아자 Phyteuma japonicum [초롱꽃과]

줄기는 곧게 서고 털이 조금 있다. 잎은 어긋나고 아래쪽의 것만 잎자루가 있으며, 잎몸은 긴 타원형이다.

보라색 꽃은 윗부분의 잎겨드랑이에 술모양 꽃차례를 이룬다. 꽃받침조각은 선모양이고, 꽃부리는 밑부분에서 5개로 갈라져 뒤로 젖혀진다.

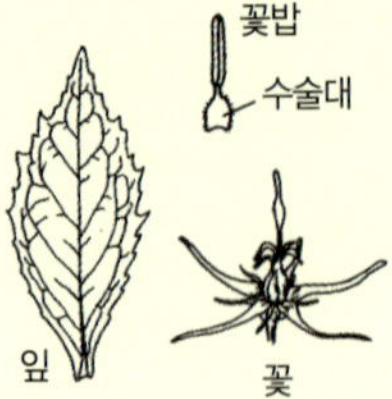

* 여러해살이풀
* 줄기 : 50~100cm
* 개화 : 7~9월
* 열매 : 삭과

들꽃 이야기 *산속에서 자란다. '염아자'라고도 한다. 초롱꽃과의 풀로 전 세계에 40여 종이 있다. 순무의 뿌리처럼 생긴 뿌리와 잎은 샐러드로 만들어 먹는다.*

왕고들빼기 Lactuca indica var. laciniata [국화과]

줄기는 털이 없고, 속에 흰색 수가 있으며 자르면 흰 유액이 나온다. 뿌리에서 자란 잎은 꽃이 피면 말라 죽는다. 줄기잎은 어긋나며, 뒷면은 회백색을 띠고 여러 갈래로 갈라진다.

혀꽃만인 연노란색 머리모양 꽃차례가 원뿔모양을 이루며 위를 향해 핀다.

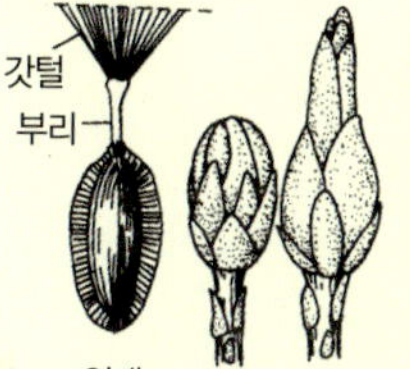

* 한두해살이풀
* 줄기 : 1~2m
* 개화 : 8~9월
* 열매 : 수과

들꽃 이야기

산속 풀밭이나 산기슭에서 자란다. 왕고들빼기와 비슷하지만, 가는잎왕고들빼기는 잎이 갈라지지 않고 바소꼴이며, 용설채는 잎이 갈라지지 않고 크다.

용담 Gentiana scabra var. buergeri [용담과]

가는 뿌리줄기가 있다. 잎은 마주나고 피침형이다. 잎자루가 없고 밑부분은 줄기를 감싼다.

줄기 끝이나 잎겨드랑이에 짙은 보라색의 종모양 꽃이 4~5개 위를 향해 핀다. 꽃받침은 5개로 갈라져 뒤로 젖혀지고, 꽃부리는 5개로 갈라져 편평하게 퍼진다.

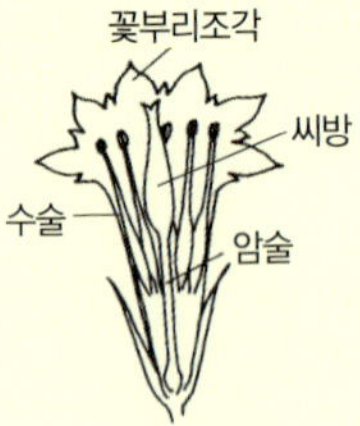

꽃
(세로로 자른 면)

* 여러해살이풀
* 줄기 : 20~60cm
* 개화 : 9~10월
* 열매 : 삭과

들꽃 이야기 *산속에서 자란다. 한방에서 뿌리를 '용담'이라고 한다. 뿌리는 아주 쓴맛이 나는데, 이 쓴맛이 용의 쓸개보다 더 쓰다고 하여 용담이라고 부른다.*

우산이끼 Marchantia polymorpha [우산이낏과]

전체적으로 잎처럼 넓은 엽상체와 헛뿌리로 이루어져 있다. 엽상체는 폭 7~20mm이고 짙은 녹색이다. 또한 표면에는 육각형의 구획이 생기고, 가운데에 작은 구멍이 있다.

암수딴그루이며 암그루는 찢어진 우산모양이고, 수그루는 뒤집어진 우산모양이다.

* 여러해살이풀
* 줄기 : 2~3cm
* 개화 : 피지 않음
* 열매 : 홀씨

들꽃 이야기 *그늘지고 축축한 땅에서 자란다. 집 근처나 산지 응달의 습기가 있는 곳에 퍼져 있다. 암그루와 수그루가 펼쳐진 모습이 우산을 닮아 붙여진 이름이다.*

음양고비 Osmunda claytoniana [고빗과]

짧고 굵은 뿌리줄기에서 영양잎과 홀씨잎이 뭉쳐나 곧게 선다. 어린잎은 회백색 또는 적갈색 솜털이 촘촘하다가 차차 없어진다.

잎 중앙 밑부분에 있는 깃조각에 적갈색 홀씨주머니가 2~5쌍 촘촘히 있다. 깃조각은 끝이 둔하고 가장자리가 밋밋하다.

* 여러해살이풀
* 줄기 : 50~60cm
* 홀씨 : 9~10월
* 열매 : 홀씨

들꽃 이야기

경기도, 강원도 이북 산속 응달에서 자란다. '개고비'라고도 한다. 꿩고비와 비슷하지만, 꿩고비는 홀씨잎과 영양잎이 구별되고, 음양고비는 영양잎과 홀씨잎이 뭉쳐난다.

이삭여뀌 Persicaria filiformis [마디풀과]

전체에 부드러운 갈색 털이 있다. 잎은 어긋나고 넓은 타원형이며, 앞면에 검은 반점이 있다. 잎자루는 길이 3~20mm이다.

꽃은 줄기 끝이나 잎겨드랑이에 가늘고 긴 이삭모양 꽃차례를 이룬다. 암술대는 끝이 갈고리모양으로 휘어져 옷이나 동물의 털에 잘 붙는다.

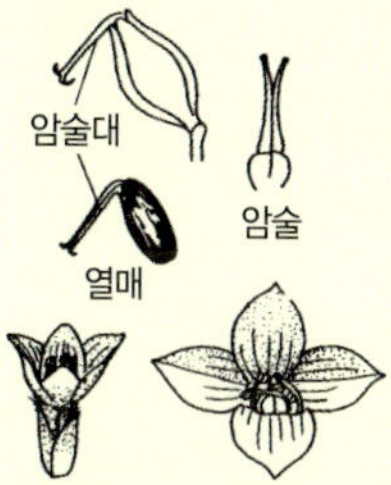

* 여러해살이풀
* 줄기 : 40~80cm
* 개화 : 8~9월
* 열매 : 수과

들꽃 이야기 *산속 응달에서 자란다. '금선초'라고도 한다. 꽃이 이삭처럼 생겨 이삭여뀌라고 부른다. 비슷한 종으로 잎에 털이 적고 끝이 뾰족한 새이삭여뀌가 있다.*

자주쓴풀 Swertia pseudochinensis [용담과]

줄기는 짙은 보라색을 띠며, 미세한 돌기모양의 털이 있다. 잎은 마주나고 잎자루가 없다.

잎겨드랑이에 짙은 보라색 줄무늬가 있는 보랏빛 꽃이 위를 향해 핀다. 꽃부리는 깊게 5개로 갈라지며, 밑부분에 꿀샘이 있다. 수술은 5개이고 암술대는 2개로 갈라진다.

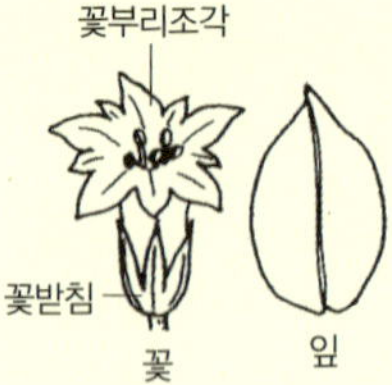

* 한두해살이풀
* 줄기 : 30~70cm
* 개화 : 9~10월
* 열매 : 삭과

들꽃 이야기

볕이 잘 드는 산과 들에서 자란다. 자주색 꽃이 피며, 풀에서 쓴맛이 난다고 하여 자주쓴풀이라는 이름이 붙여졌다.

잔대 Adenophora triphylla var. japonica [초롱꽃과]

줄기를 자르면 유액이 나온다. 잎은 4~5개가 돌려나며 잎자루가 없고 긴 타원형이다.

연한 푸른색 또는 보라색의 종모양 꽃이 줄기 윗부분에 원뿔 꽃차례로 밑을 향해 핀다. 꽃부리는 5개로 갈라져 뒤로 젖혀진다. 꽃받침조각은 실처럼 가늘고 뒤로 젖혀진다.

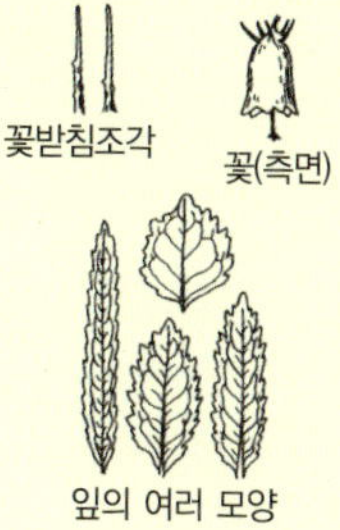

* 여러해살이풀
* 줄기 : 40~120cm
* 개화 : 8~10월
* 열매 : 삭과

들꽃 이야기 *산과 들에서 자란다. '사삼, 딱주'라고도 한다. 연한 부분과 뿌리를 먹는다. 한방에서 뿌리를 '사삼'이라고 하여 약재로 쓴다. 비슷한 종으로 털잔대, 층층잔대 등이 있다.*

주름조개풀 Oplismenus undulatifolius [볏과]

가는 줄기는 땅을 기며 비스듬히 또는 곧게 선다. 잎은 부드럽고 가장자리는 물결모양으로 주름지며 양면에 긴 털이 있다.

이삭 꽃차례에 잔이삭이 붙어 있다. 잔이삭은 털이 있으며, 속깍지와 겉깍지에 각각 까끄라기가 있다. 열매는 익으면 점액이 나온다.

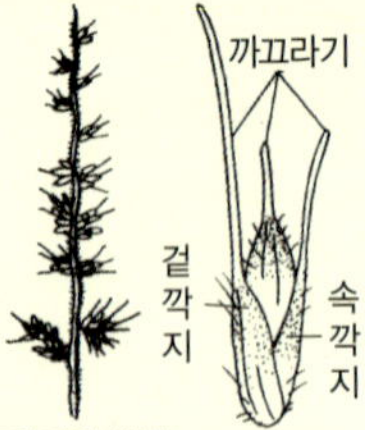

* 여러해살이풀
* 줄기 : 20~30cm
* 개화 : 8~10월
* 열매 : 영과

들꽃 이야기
산속 응달이나 냇가에서 자란다. 까끄라기에 끈끈한 액체가 생겨서 열매가 들어 있는 작은이삭이 사람의 옷에 잘 붙는다. 소와 양의 먹이로도 이용한다.

지네고사리 Lastrea japonica [면마과]

굵은 뿌리줄기가 짧게 땅을 기며, 흑갈색 비늘조각이 붙어 있다. 잎자루 밑부분에 짙은 자갈색을 띤 비늘조각이 달린다. 잎몸은 1회 깃모양 겹잎이며 끝이 꼬리모양으로 길게 뾰족하고 밑부분은 넓다.

홀씨주머니무리는 작은 깃조각의 가장자리 가까이 달린다.

* 여러해살이풀
* 줄기 : 60~80cm
* 홀씨 : 9~10월
* 열매 : 홀씨

들꽃 이야기 *제주도와 중부 이남의 숲 속에서 자란다. 비슷한 종으로 털이 적고 광릉에서 자라는 참지네고사리가 있다. 제주도 한라산 일대에서 자라는 톱지네고사리도 있다.*

진범 Aconitum pseudolaeve var. erectum [미나리아재빗과]

뿌리는 비대하며 검은색이고, 줄기는 덩굴성이나 어느 정도 곧게 선다. 뿌리에서 난 잎은 긴 잎자루가 있으나, 줄기의 잎은 잎자루가 짧으며 손바닥모양처럼 3~5개로 깊게 갈라진다.

꽃은 연한 자색 또는 흰색으로 줄기 끝에 술모양 꽃차례를 이룬다.

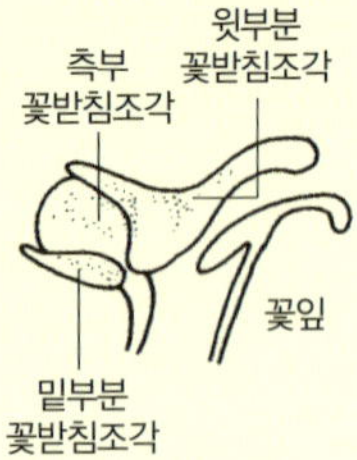

* 여러해살이풀
* 줄기 : 2m 정도
* 개화 : 8~9월
* 열매 : 골돌과

들꽃 이야기 *산속 응달에서 자란다. 한방에서 말린 뿌리가 거풍, 진통, 이뇨 효과가 있어 관절염, 근육과 뼈의 경련, 황달, 소변이 안 나올 때 약재로 쓴다.*

참취 Aster scaber [국화과]

줄기와 잎에 잔털이 난다. 뿌리에서 난 잎은 심장모양으로 가장자리에 톱니가 있다. 윗부분의 잎은 어긋나며 긴 타원형이며, 위로 갈수록 잎자루가 짧다.

머리모양 꽃차례가 산방모양으로 달린다. 작은 꽃은 주로 대롱꽃이고 혀꽃은 5~7개로 흰색이다.

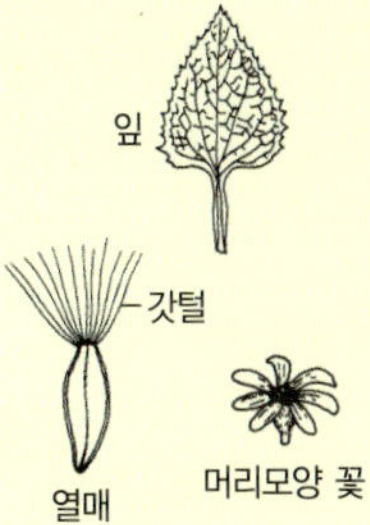

* 여러해살이풀
* 줄기 : 1~1.5m
* 개화 : 8~9월
* 열매 : 수과

들꽃 이야기 숲 속의 볕이 잘 드는 건조한 곳에서 자란다. 우리가 먹는 취나물이 바로 참취의 어린 순이다. 가는 줄기와 잎에서 염료를 뽑아 쓰기도 한다.

천일담배풀 Carpesium glossophyllum [국화과]

줄기와 잎에 털이 촘촘하다. 뿌리에서 난 잎은 로제트모양이며, 꽃이 필 때도 남아 있다. 줄기잎은 어긋나고, 뿌리잎보다 작은 긴 타원형의 피침형이다.

줄기나 가지 끝에 황록색 머리모양 꽃차례가 1개씩 밑을 향해 달린다. 혀꽃은 없고 대롱꽃만이다.

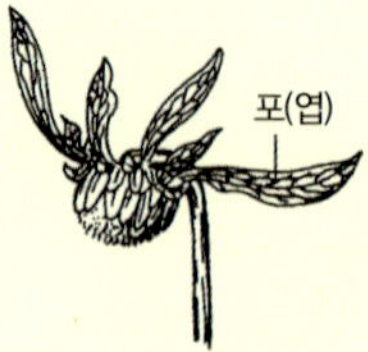

머리모양 꽃

* 여러해살이풀

* 줄기 : 25~50cm

* 개화 : 8~10월

* 열매 : 수과

들꽃 이야기 *숲 속에서 자란다. 북한에서는 '주걱담배풀'이라고도 한다. 꽃이 곰방대를 닮아 담배풀이라고 하고, 천일은 오랫동안 꽃이 피어 붙여진 듯하다.*

청나래고사리 Matteuccia struthiopteris [면마과]

짧은 뿌리줄기가 곧게 서고 가지가 옆으로 벋으면서 자란다.

영양잎과 홀씨잎이 있는데, 영양잎은 1회 깃모양으로 깊게 갈라진다. 홀씨잎은 영양잎보다 짧고 곧게 선다. 홀씨주머니 무리는 중앙맥 양쪽에 2~3줄로 늘어선다. 다 펴지지 않은 영양잎은 먹을 수 있다.

홀씨잎
(포자엽)

* 여러해살이풀
* 줄기 : 30~60cm
* 홀씨 : 9~10월
* 열매 : 홀씨

들꽃 이야기 *산속 응달에서 자란다. '포기고사리, 청나래개면마, 청날개고사리'라고도 한다. 속명 'Matteuccia'는 '꽃다발 잎이 뭉쳐나는 양치류'라는 뜻을 가지고 있다.*

칼잎용담 Gentiana uchiyamai [용담과]

줄기는 곧게 서고 가지가 갈라지지 않는다. 잎은 마주나며 잎자루가 없고, 긴 타원형이며 끝이 예리하게 뾰족하고 가장자리는 밋밋하다.

자주색을 띠는 꽃은 줄기 끝이나 잎겨드랑이에 달린다. 꽃부리는 종모양이며 끝이 5개로 갈라진다.

* 여러해살이풀

* 줄기 : 1m 정도

* 개화 : 8~9월

* 열매 : 삭과

들꽃 이야기

지리산 이북, 가야산, 덕유산, 설악산에서 북부 지방 개마고원에 이르는 산속에서 자란다. 잎이 칼처럼 생겼으며, 뿌리가 용의 쓸개보다 쓰다고 하여 붙여진 이름이다.

콩짜개덩굴 Lemmaphyllum microphyllum [고란초과]

실처럼 가는 뿌리줄기가 옆으로 벋으며, 흑갈색 비늘조각으로 덮여 있고 군데군데 잎이 달린다. 잎은 두텁고 딱딱하다.

영양잎과 홀씨잎이 있는데, 영양잎은 원형 또는 타원형이고, 홀씨잎은 주걱모양이다. 홀씨주머니무리는 중앙맥 양쪽에 2줄로 달린다.

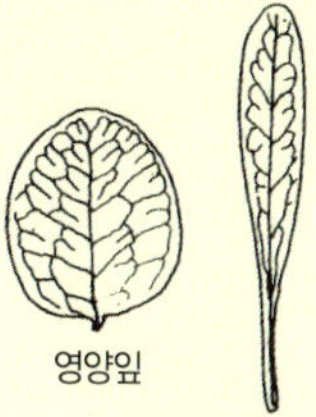

* 여러해살이풀
* 줄기 : 2~5cm
* 홀씨 : 10~11월
* 열매 : 홀씨

들꽃 이야기 *제주도와 호남 지방 해안 산지와 남해 도서 지방의 숲 속 그늘진 바위에서 자란다. 이름에서 알 수 있듯이, 잎이 콩을 쪼개 놓은 것처럼 생겨 붙여진 이름이다.*

키큰산국 Chrysanthemum lineare [국화과]

뿌리줄기는 길게 옆으로 벋는다. 줄기는 여러 개 뭉쳐나 곧게 선다. 뿌리잎은 꽃이 필 때 말라 죽는다. 줄기잎은 어긋나고 잎자루가 없다. 잎몸은 깃모양으로 갈라지며, 앞면은 거칠다.

줄기나 가지 끝에 노란 대롱꽃과 흰 혀꽃으로 이루어진 머리모양 꽃차례가 1개씩 핀다.

* 여러해살이풀
* 줄기 : 30~100cm
* 개화 : 9~10월
* 열매 : 수과

들꽃 이야기

강원도 서북부 산지대에서 서북 지방이나 관북 지방 고산 지대의 볕이 잘 드는 습지에서 자란다. 꽃 모양이 구절초와 비슷하게 생겼지만 잎이 가늘게 갈라져 구별된다.

한라돌쩌귀 Aconitum napiforme [미나리아재빗과]

줄기는 곧거나 비스듬히 자라며, 굽은 털로 덮여 있다. 잎은 어긋나고 잎몸은 3개로 갈라지며, 측부의 갈라진 조각은 다시 2개로 깊게 갈라진 다음 다시 2~3개로 갈라진다.

투구모양의 자주색 꽃이 총상꽃차례를 이루며 핀다. 꽃의 겉에는 꼬부라진 털이 나 있다.

* 여러해살이풀
* 줄기 : 45~100cm
* 개화 : 9월
* 열매 : 골돌과

들꽃 이야기 *깊은 산속이나 숲 속 풀밭에서 자란다. 한라산 높은 지역의 습윤하고 비옥한 토양에서 자란다. '한라산에서 자라는 돌쩌귀'라고 하여 붙여진 이름이다.*

한란 Cymbidium kanran [난초과]

잎은 여러 개가 뭉쳐나며, 잎몸은 가죽질이고 끝이 예리하게 뾰족하며 가장자리는 약간 껄끄럽다. 꽃줄기에 끝이 뾰족한 잎집 같은 막질의 잎이 드문드문 달린다.

줄기 끝에 녹색 바탕에 자색을 띤, 향기가 짙은 5~10개의 꽃이 술모양 꽃차례로 달린다.

* 여러해살이풀
* 줄기 : 25~60cm
* 개화 : 12~1월
* 열매 : 삭과

들꽃 이야기 *한라산 남사면의 상록수림 건조지에서 자란다. 추운 겨울에 꽃이 피어서 한란이라는 이름이 붙여졌다. 제주도에 있는 한란은 개인 소유까지 문화재 보호법의 적용을 받는다.*

황기 Astragalus membranaceus [콩과]

줄기는 곧게 서고 잔털이 있다. 잎은 어긋나고 잎몸은 홀수 깃모양 겹잎이다. 작은 잎은 15~17개이며, 양끝이 둥글고 가장자리가 밋밋하다.

담황색 꽃은 잎겨드랑이에 10~15개가 술모양 꽃차례를 이루며, 꽃받침은 끝이 얕게 5개로 갈라지고 잔털이 있다.

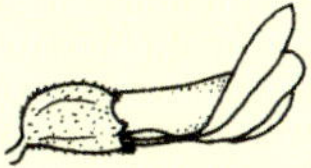

꽃

* 여러해살이풀
* 줄기 : 1m 정도
* 개화 : 8~9월
* 열매 : 꼬투리

들꽃 이야기 *울릉도, 제주도와 강원도 이북의 산속에서 자란다. 흔히 약초로 재배하는데, 가을에 채취하여 머리부분과 잔뿌리를 제거하고 햇빛에 말려 약재로 쓴다.*

물가나 습지·바닷가

가막사리 Bidens tripartita [국화과]

줄기는 담록색이며 곧게 선다. 잎은 마주나며, 잎자루는 길이 1~2cm이다. 잎몸은 피침형으로 깊게 3~5개로 갈라진다.

줄기 윗부분의 잎겨드랑이에 대롱꽃만으로 이루어진 노란색 머리모양 꽃차례가 1개씩 달린다. 열매에 갓털이 변한 가시가 있다.

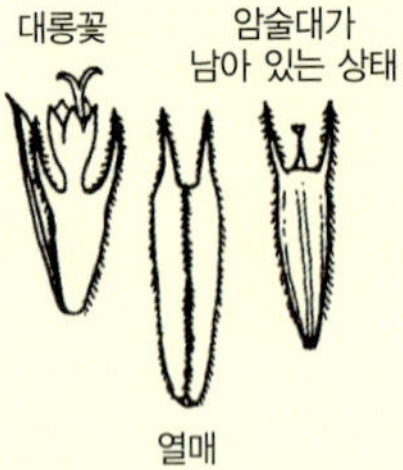

* 한해살이풀
* 줄기 : 50~150cm
* 개화 : 8~10월
* 열매 : 수과

들꽃 이야기

논두렁이나 습지에서 자란다. '낭파초, 털가막사리'라고도 한다. 우리말 이름으로, 가막살이와 가막사리 두 가지 이름이 쓰이다가 근래에는 가막사리로 쓴다.

갈대 Phragmites communis [벼과]

굵은 뿌리줄기가 길게 땅속을 벋는다. 줄기는 마디에 털이 없다. 잎은 끝이 밑으로 처진다.

원뿔 꽃차례에 많은 가지가 갈라져 자갈색 잔이삭이 조밀하게 달리며 끝이 밑으로 처진다. 2~4개의 잔꽃이 있다. 깍지(포영)에 3맥이 있으며 끝은 까끄라기모양이다.

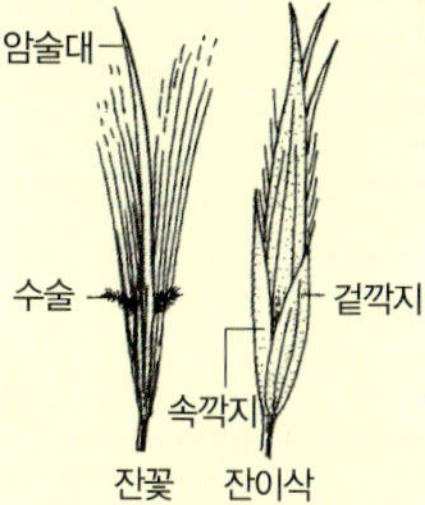

* 여러해살이풀
* 줄기 : 2~3m
* 개화 : 8~9월
* 열매 : 영과

들꽃 이야기

못이나 강가, 습지에서 자란다. '갈'이라고도 한다. 이삭은 빗자루를 만들고 이삭의 털은 예전에 솜 대용으로 썼다. 줄기로 갈대발, 갈삿갓, 삿자리 등을 엮는다.

갯개미취 Aster tripolium [국화과]

줄기는 털이 없이 매끄럽다. 줄기잎은 어긋나고 잎자루가 없다. 잎몸은 피침형이다.

여러 개의 머리모양 꽃이 산방 꽃차례를 이룬다. 대롱꽃은 노란색, 혀꽃은 연한 보라색으로 대롱꽃 둘레에 암꽃이 3~4층으로 늘어선다. 열매는 털이 있다.

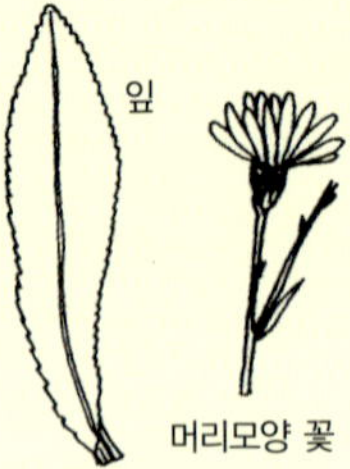

* 두해살이풀
* 줄기 : 30~60cm
* 개화 : 9~10월
* 열매 : 수과

들꽃 이야기 *바닷가나 바닷물과 민물이 만나는 습지에서 자란다. '개개미취, 갯자원'이라고도 하며, '바닷가 근처에서 자라는 개미취'라는 뜻으로 갯개미취라고 부른다.*

갯질경이 Limonium tetragonum [질경잇과]

땅속으로 곧게 벋은 굵고 딱딱한 뿌리에서 많은 잎이 로제트 모양으로 달린다. 잎은 끝이 둥글며, 밑부분이 좁아지면서 잎자루를 이루어 주걱모양이다.

꽃은 가지마다 이삭 꽃차례를 이루고, 꽃받침은 대롱 또는 깔때기모양이다. 노란색 꽃부리는 깔때기모양이다.

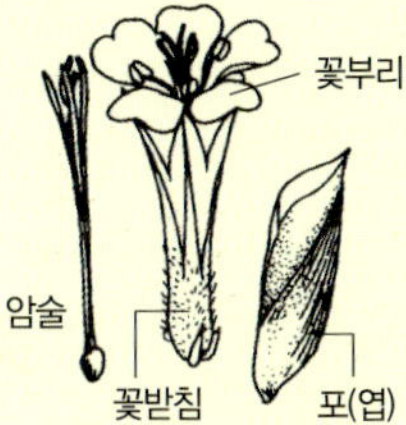

* 두해살이풀

* 줄기 : 30~60cm

* 개화 : 9~10월

* 열매 : 삭과

들꽃 이야기 *바닷가의 염분 섞인 모래땅에서 자란다. 연한 잎은 나물로 먹고, 씨는 약재로 쓴다. 염분이 많은 토양에서 자라는 식물로, 염분이 많으며 물을 잘 흡수한다.*

겨풀 Leersia oryzoides var. japonica [벼과]

뿌리줄기가 짧게 옆으로 벋는다. 줄기는 가늘고 마디에서 곧게 또는 비스듬히 선다. 잎은 부드럽고 가장자리는 껄끄럽다.

녹색 잔이삭이 가지에 달린다. 잔이삭은 1개의 잔꽃으로 이루어지며, 깍지는 퇴화하여 없다. 겉겨에 거친 털이 있고 까끄라기가 없다.

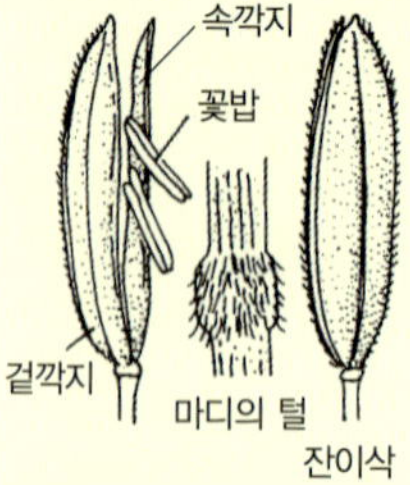

* 여러해살이풀
* 줄기 : 50cm 정도
* 개화 : 8~10월
* 열매 : 영과

들꽃 이야기 *물가에서 자란다. '개겨풀, 벼겨풀, 개조풀, 빕새풀'이라고도 한다. 씨가 충실하지 않아 곡식을 벗겨낸 겨 같다고 하여 붙여진 이름인 듯하다.*

곡정초 Eriocaulon sieboldtianum [곡정초과]

뿌리줄기는 없고 흰 수염뿌리가 있다. 잎은 뿌리에서 뭉쳐나며 부드럽다.

꽃줄기는 잎보다 길다. 잔꽃이 여러 개 모인 회백색 머리모양 꽃이 줄기 끝에 1개씩 달린다. 꽃차례는 몇 개의 수꽃과 여러 개의 암꽃이 함께 있다. 꽃받침조각은 2개이다.

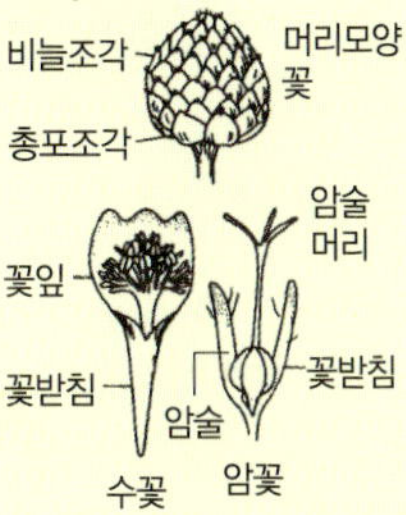

* 한해살이풀
* 줄기 : 5~15cm
* 개화 : 8~10월
* 열매 : 삭과

들꽃 이야기 *늪이나 논, 습지에서 자란다. '별수염풀, 고위까람'이라고도 한다. '곡식을 키우는 밭의 기운과 정기로 자라는 약초'라는 뜻으로 붙여진 이름이다.*

기생여뀌 Persicaria viscosa [마디풀과]

전체에 향기가 있으며 갈색의 긴 털이나 샘털 또는 샘점이 있다. 줄기는 곧게 선다. 잎은 달걀모양의 피침형이며 끝이 뾰족하고 밑부분은 짧게 자루를 이룬다. 턱잎은 칼집모양이며 털이 있다.

홍자색 꽃은 이삭 꽃차례를 이루고, 꽃잎은 없다.

* 한해살이풀
* 줄기 : 40~120cm
* 개화 : 8~9월
* 열매 : 수과

들꽃 이야기

물가나 습지에서 자란다. 갈색 긴 털이나 선모 또는 선점이 있고, 풀 전체가 붉은빛을 띠어 아름다우며 향기가 좋아 기생여뀌라고 부른다.

꼴하늘지기 Fimbristylis subbispicata [사초과]

줄기는 빽빽하게 뭉쳐나 곧게 서며, 세모지고 매끄럽다. 잎은 줄기와 길이가 같거나 짧고 폭은 1mm이며, 밑부분은 잎집을 이룬다.

1개의 잔이삭이 줄기 끝에 달리며, 잔이삭은 타원형이고 적갈색을 띤다. 열매는 거꿀달걀 모양이며 갈색이다.

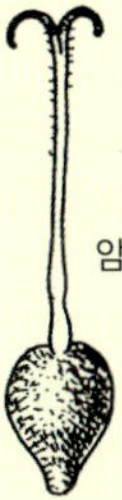

* 여러해살이풀
* 줄기 : 10~50cm
* 개화 : 8~10월
* 열매 : 수과

들꽃 이야기 *산기슭의 볕이 잘 드는 습지에서 자란다. '애기하늘직이, 꼴하눌직이, 골하늘직이, 꼴하늘직이, 소모초'라고도 한다. 가축 사료나 거름으로 쓴다.*

나도겨풀 Leersia japonica [벼과]

줄기 마디마다 짧고 딱딱한 털이 촘촘하다. 잎은 연한 녹색이다.

줄기 끝의 원뿔 꽃차례를 이루는 가지는 밑부분에서부터 잔이삭이 달린다. 잔이삭은 연한 녹색 또는 자색이고, 1개의 잔꽃으로 이루어진다. 깍지(포영)는 없고 3~5맥이 있는 편평한 겉겨(호영)만이 있다.

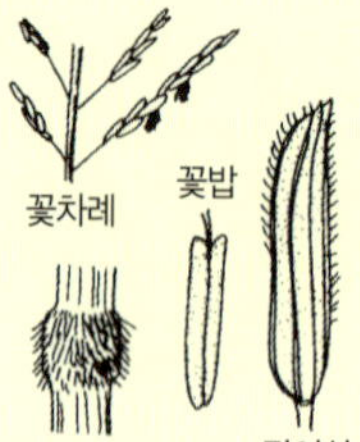

* 여러해살이풀
* 줄기 : 30~50cm
* 개화 : 8~10월
* 열매 : 영과

들꽃 이야기 물가나 습지에서 자란다. '물겨풀, 거신털피'라고도 한다. 겨풀과 비슷한데, 이삭은 겨풀보다 짧고, 씨는 겨풀보다 훨씬 길어 구별할 수 있다.

네가래 Marsilea quadrifolia [네가랫과]

가는 뿌리줄기가 땅속을 길게 옆으로 벋고 연갈색 털로 덮인다. 잎자루 끝의 4개의 작은 잎이 십자모양으로 수평하게 달려 네잎클로버 같다. 작은 잎은 털이 없고 가장자리가 밋밋하다.

잎자루 밑부분에서 갈라진 가지에 타원형의 홀씨주머니무리가 달린다.

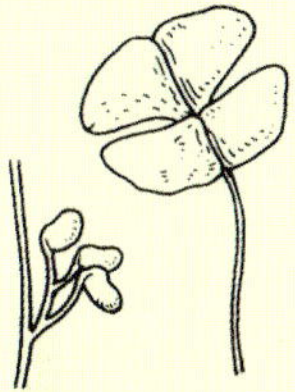

홀씨주머니와 잎자루

* 여러해살이풀
* 줄기 : 10~15cm
* 홀씨 : 8~10월
* 열매 : 홀씨

들꽃 이야기 *제주도와 경기도 이남의 논이나 못, 늪에서 자란다. 생이가래와 함께 양치식물에서 매우 발달한 식물이다. 한방에서 뿌리를 제외한 풀 전체를 약재로 쓴다.*

달뿌리풀 Phragmites japonica [벼과]

줄기가 길게 땅 위를 벋고, 마디에서 줄기가 곧게 선다. 잎집은 줄기를 완전히 감싸며 자색을 띠고, 마디마다 흰색의 긴 털이 있다. 잎은 어긋난다.

원뿔 꽃차례는 자갈색을 띠는 잔이삭이 촘촘하게 있다. 첫째 잔꽃은 수꽃으로, 밑부분에 털이 있다.

잔이삭

* 여러해살이풀
* 줄기 : 2m 정도
* 개화 : 9~10월
* 열매 : 영과

들꽃 이야기 *강가나 모래땅에서 자란다. 갈대와 비슷하지만, 갈대에 비해 작고 기는줄기가 길게 땅 위를 벋으며 마디에 흰색의 긴 털이 있어 구별할 수 있다.*

뚜껑덩굴 Actinostemma labatum [박과]

줄기는 가늘고 덩굴손에 의해 물체에 얽힌다. 잎은 어긋나며 덩굴손과 마주나고, 긴 삼각모양이다.

꽃은 황록색이고, 술모양 꽃차례를 이룬 수꽃의 아래쪽에 암꽃 1개가 밑으로 처진다. 열매는 익으면 가운데 부분이 가로로 뚜껑처럼 갈라진다.

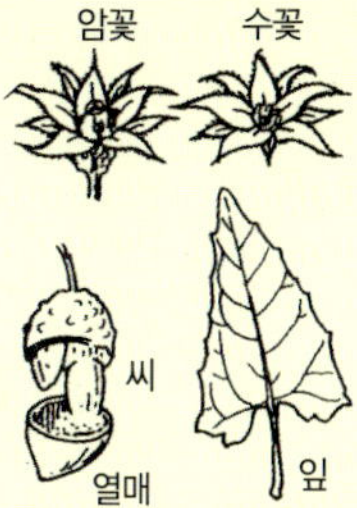

* 한해살이풀

* 줄기 : 2m 정도

* 개화 : 8~9월

* 열매 : 삭과

들꽃 이야기 *제주도와 경기도(북한강과 남한강이 만나는) 물가나 도랑, 못가에서 자란다. 열매가 뚜껑처럼 갈라지기 때문에 뚜껑덩굴이라는 이름이 붙여졌다.*

매자기 Scirpus fluviatilis [사초과]

뿌리줄기가 길게 벋으며, 줄기는 세모지다. 잎은 폭 5~10mm이다.

줄기 끝에서 갈라진 4~5개의 가지 끝에 잔이삭이 1개씩 달린다. 잔이삭 밑부분에 잎 같은 녹색의 긴 포엽이 있다. 잔이삭은 길이 1~2cm이며 갈색이다. 비늘조각은 넓은 타원형이다.

* 여러해살이풀
* 줄기 : 1~1.5m
* 개화 : 7~10월
* 열매 : 수과

들꽃 이야기 *늪이나 못가에서 자란다. 땅속줄기가 벋으면서 생긴 덩이줄기를 먹는다. 한방에서 땅속줄기 껍질을 벗겨 햇볕에 말린 것을 약재로 쓴다.*

물억새 Miscanthus sacchariflorus [볏과]

뿌리줄기는 땅속을 긴다. 잎은 어긋난다. 줄기 끝에 산방상 원뿔 꽃차례를 이룬다.

갈색 잔이삭은 까끄라기가 없고, 긴 잔이삭 자루와 짧은 잔이삭 자루가 쌍을 이룬다. 밑부분의 털은 잔이삭 길이의 3~4배이며 부드럽고 은백색이다. 잔이삭에 까끄라기가 없다.

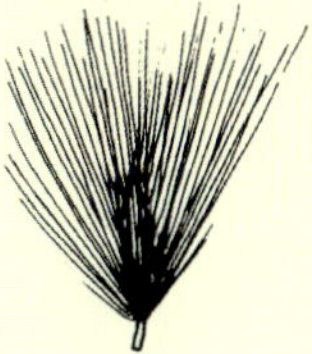

잔꽃

* 여러해살이풀
* 줄기 : 2m 정도
* 개화 : 8~9월
* 열매 : 영과

들꽃 이야기 *강가나 습지에서 자란다. 잔이삭에 까끄라기가 없는 점이 참억새와 구별된다. 비슷한 종으로 넓은잎물억새, 가는잎물억새가 있다.*

미국가막사리 Bidens frondosa [국화과]

줄기는 흑자색이고 거의 털이 없다. 잎은 마주나며 털이 없고 1~2회 깃모양 겹잎이다. 작은 잎은 가장자리에 톱니가 있다.

꽃은 줄기나 가지 끝에 노란색 머리모양 꽃차례를 이룬다. 연한 노란색의 짧은 혀꽃이 있으나 총포에 싸여 겉에서는 보이지 않는다.

* 한해살이풀
* 줄기 : 1.5m 정도
* 개화 : 9~10월
* 열매 : 수과

들꽃 이야기 *북아메리카가 원산으로, 우리나라 제주도와 남부 지방의 길가나 습윤지에서 자란다. 가막사리는 줄기가 녹색을 띠고, 미국가막사리는 줄기가 검은 자줏빛을 띤다.*

미꾸리낚시 Persicaria sieboldii [마디풀과]

줄기는 털이 없으며, 밑으로 향한 가지가 물체에 얽힌다. 잎은 어긋나고 밑부분이 화살촉같이 갈라지며, 뒷면의 맥 위와 잎자루에 가시가 있다.

꽃은 가지 끝에 여러 개의 머리모양 꽃차례로 모여 핀다. 꽃잎은 없고, 연분홍색 꽃받침은 5개로 깊게 갈라진다.

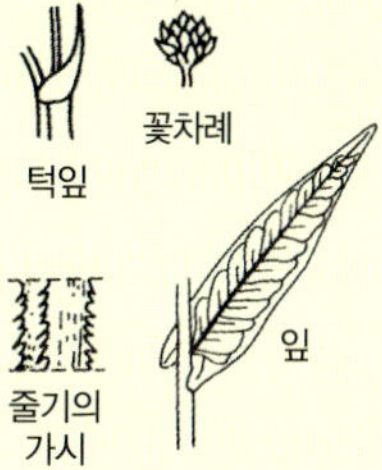

* 한해살이풀
* 줄기 : 20~100cm
* 개화 : 7~9월
* 열매 : 수과

들꽃 이야기 *도랑이나 산기슭의 냇가에서 자란다. 아이들이 줄기에 붙어 있는, 아래를 향해 있는 가시로 민물에서 미꾸리를 잡는다고 하여 붙여진 이름인 듯하다.*

민하늘지기 Fimbristylis squarrosa [사초과]

줄기는 비스듬히 옆으로 퍼진다. 실모양의 잎은 부드럽다. 꽃차례는 2~3회 가지가 갈라지며, 가지 끝마다 구릿빛 갈색의 잔이삭이 달린다. 잔이삭의 비늘조각은 나선처럼 늘어선다.

열매는 연한 갈색으로, 볼록렌즈처럼 생겼으며, 매끄럽고 그물눈무늬가 있다.

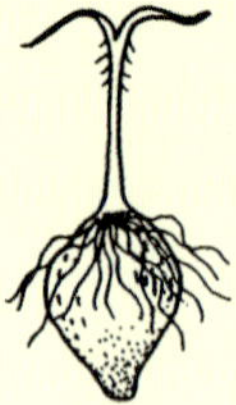

열매

* 한해살이풀
* 줄기 : 10~20cm
* 개화 : 8~9월
* 열매 : 수과

들꽃 이야기

볕이 잘 드는 습지나 논두렁에서 자란다. '뚝하늘지기'라고도 하며, 열매의 겉이 밋밋하게 생겼기 때문에 민하늘지기라고 부른다.

바보여뀌 Persicaria pubescens [마디풀과]

줄기는 곧게 서고 털이 있다. 잎은 어긋나고 넓은 피침형이며, 맥 위에는 잔털이 있고, 중앙부에는 검은 반점이 있다.

이삭모양 꽃차례가 줄기 끝이나 잎겨드랑이에 달린다. 꽃은 흰 바탕에 연한 붉은빛이 돈다. 꽃받침조각은 5개이며, 녹색을 띠고 가장자리는 붉은색이다.

* 한해살이풀
* 줄기 : 40~100cm
* 개화 : 7~9월
* 열매 : 수과

들꽃 이야기 *논두렁이나 냇가에서 자란다. 바보여뀌라는 이름은 일본 이름을 번역한 것으로, 매운맛이 없어 맛에 대하여 둔하다는 뜻으로 붙여진 이름이다.*

방동사니대가리 Cyperus sanguinolentus [사초과]

줄기는 여러 개가 뭉쳐난다. 잎은 줄기보다 짧고, 밑부분은 잎집을 이루며 줄기를 싼다.

줄기 끝에 있는 2~3개의 포엽 위에 여러 개의 잔이삭이 머리모양 꽃차례를 이루며 달린다. 잔이삭은 편평하고 긴 타원형이며, 15~30개의 잔꽃이 2줄로 달린다.

* 한해살이풀
* 줄기 : 15~40cm
* 개화 : 7~10월
* 열매 : 수과

들꽃 이야기 *습지나 논두렁에서 자란다. '돌방동사니, 방동산이대가리'라고도 한다. 열매는 거꾸로 된 달걀모양으로 좌우로 평평하게 생겼다.*

방울고랭이 Scirpus wichurae [사초과]

수염뿌리가 뭉쳐나며, 줄기는 딱딱하고 둔하게 세모지며 곧게 선다. 잎 밑부분은 잎집으로 줄기를 싼다.

줄기 끝에서 2~3회 갈라진 가지 끝에 여러 개의 잔이삭이 달린다. 적갈색의 잔이삭은 길이 4~8mm이고, 비늘조각은 길이 2mm 정도이다.

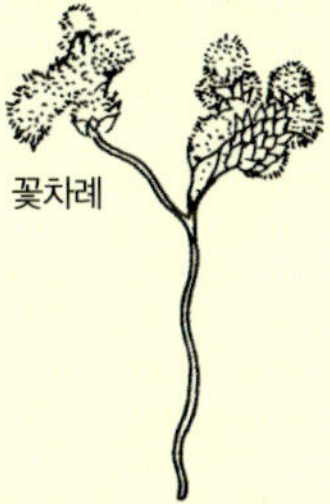

* 여러해살이풀
* 줄기 : 1~1.5m
* 개화 : 8~10월
* 열매 : 수과

들꽃 이야기

볕이 잘 드는 물가나 산기슭의 습지에서 자란다. '개왕굴'이라고도 한다. 꽃대에 달린 작은 이삭이 방울 같고, 골짜기에서 자란다(골, 고랭이)고 하여 붙여진 이름이다.

벌등골나물 Eupatorium fortunei [국화과]

줄기 밑부분에 털이 없고, 윗부분에서 많은 가지가 갈라진다. 잎은 마주나며 잎자루는 짧다. 잎몸은 갈라지지 않거나 깊게 3개로 갈라지며 긴 타원형이다.

줄기 끝에 5개의 대롱꽃만으로 이루어진 연한 분홍색의 머리모양 꽃차례가 산방모양으로 달린다.

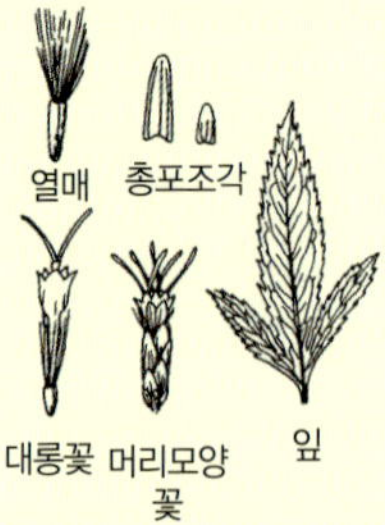

* 여러해살이풀
* 줄기 : 1.5m 정도
* 개화 : 8~9월
* 열매 : 수과

들꽃 이야기 *볕이 잘 드는 냇가나 습지에서 자란다. '새등골나물'이라고도 한다. '벌판에서 주로 자라는 등골나물'이라는 뜻으로 벌등골나물이라고 부른다.*

병아리방동사니 Cyperus flaccidus [사초과]

줄기는 잎과 더불어 여러 개가 뿌리에서 뭉쳐난다. 잎은 길이의 차가 심하여 긴 것은 20cm 이상으로 줄기보다 길다.

3~5개의 가지 끝에 3~5개의 잔이삭이 달린다. 잔이삭은 15~30개의 잔꽃으로 이루어진다. 비늘조각의 끝은 까끄라기이다.

잔이삭

* 한해살이풀
* 줄기 : 5~20cm
* 개화 : 8~10월
* 열매 : 수과

들꽃 이야기 *논두렁이나 산기슭의 볕이 잘 드는 풀밭 습지에서 자란다. 방동사니처럼 생겼는데, 키가 작고 꽃이 엉성하여 귀엽다는 뜻으로 병아리방동사니라고 부른다.*

사데풀 Sonchus brachyotus [국화과]

줄기와 잎에 털이 없다. 잎은 어긋나며 잎자루가 없고, 잎몸은 긴 타원형이다. 잎 밑부분은 어느 정도 줄기를 둘러싸며, 뒷면은 흰빛이 돌고 가장자리에 불규칙한 톱니가 있다.

줄기 끝에 노란색 머리모양 꽃차례 3~5개가 우산모양을 이룬다. 꽃차례는 혀꽃만이다.

* 여러해살이풀
* 줄기 : 50~100cm
* 개화 : 8~10월
* 열매 : 수과

들꽃 이야기 *바닷가와 가까운 들에서 자란다. '거채, 고매채, 야고채'라고도 한다. 어린순은 나물로 먹으며, 자르면 하얀 즙액이 나온다.*

새박 Melothria japonica [박과]

덩굴손으로 물체에 감긴다. 잎은 어긋나며, 잎몸은 삼각모양 달걀형이나 손바닥모양이고, 밑부분은 심장모양으로 파인다.

암수꽃이 1개씩 잎겨드랑이에 피며, 꽃부리는 흰색이다. 수꽃에 3개 수술이 있고, 암꽃에는 1개의 암술이 있으며 밑부분에 녹색의 둥근 씨방이 있다.

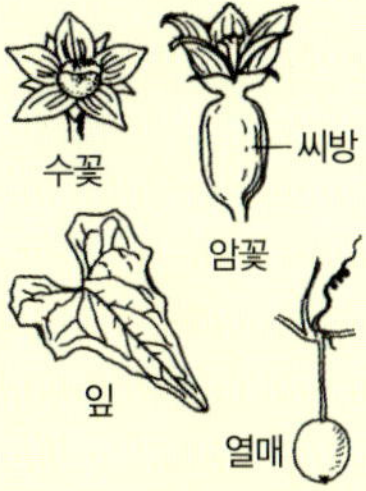

* 한해살이풀
* 줄기 : 3~4m
* 개화 : 7~9월
* 열매 : 삭과

들꽃 이야기

제주도와 남부 지방 물가의 풀밭이나 습지에서 자란다. 녹색 열매가 익으면 회백색으로 되는데, 이 모습이 새알모양의 박 같다고 하여 붙여진 이름이다.

생이가래 Salvinia natans [생이가랫과]

줄기는 가늘고 털이 많으며, 느슨하게 가지가 갈라진다. 잎은 긴 타원형이다. 잎 앞면은 거친 돌기가 있으며, 뒷면에는 부드러운 털이 촘촘하다.

물속에 1개의 잎이 뿌리처럼 잘게 갈라지며, 밑부분에는 흰색의 둥근 홀씨주머니무리가 달려 있다.

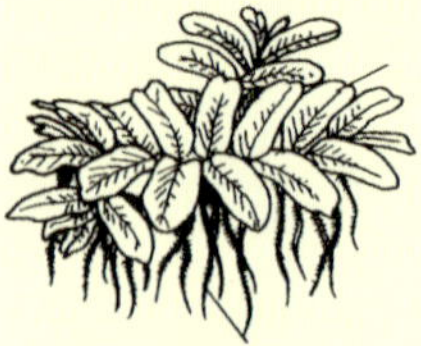

수중엽
(뿌리가 아님)

* 한해살이풀
* 줄기 : 5~10cm
* 홀씨 : 9~10월
* 열매 : 홀씨

들꽃 이야기 *울릉도를 제외한 전국의 논이나 못에서 자란다. 잎은 3개씩 돌려나는데, 2개는 물 위에 뜨고 1개는 물속에서 뿌리 구실을 한다.*

세대가리 Lipocarpha microcephala [사초과]

줄기는 뭉쳐나며, 매끄럽고 털이 없다. 잎은 뿌리에서 1~2개 난다.

둥근 잔이삭이 3개 때로는 4~5개가 모여 줄기 끝에 머리 모양 꽃차례를 이룬다. 잔이삭은 비늘조각이 나선모양으로 늘어선다. 비늘조각은 끝이 뾰족하고 조금 뒤로 젖혀진다.

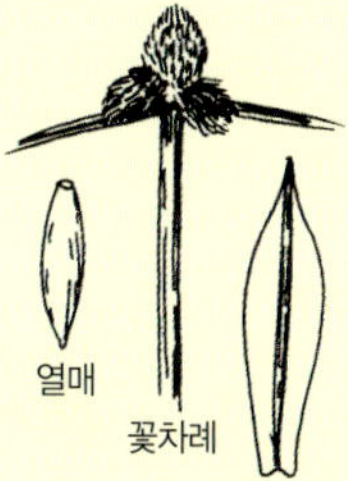

* 한해살이풀
* 줄기 : 5~30cm
* 개화 : 8~10월
* 열매 : 수과

들꽃 이야기

논두렁이나 습지에서 자란다. 줄기에 있는 3개 또는 4~5개의 둥근 잔이삭에 비유하여, 작은 이삭이 3개 모여 있다고 하여 세대가리라는 이름이 붙여졌다.

세모고랭이 Scirpus triqueter [사초과]

뿌리줄기는 가늘며 길게 옆으로 벋는다. 줄기는 갈라지지 않는다. 잎은 줄기 밑부분에 잎집을 이루며, 때로는 짧은 잎몸이 있다.

줄기 끝에서 갈라진 가지 끝에 2~3개의 잔이삭이 달린다. 적갈색의 잔이삭은 긴 타원형 또는 달걀모양이다.

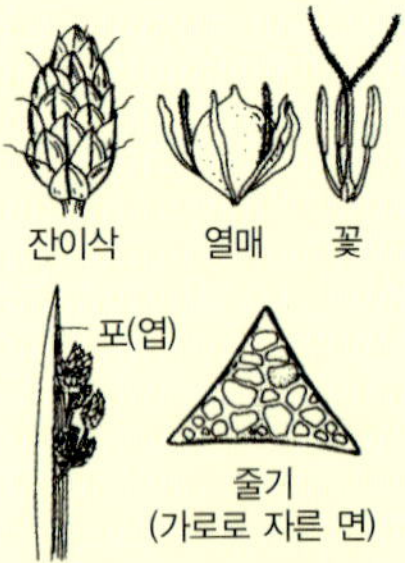

* 여러해살이풀

* 줄기 : 50~120cm

* 개화 : 8~10월

* 열매 : 수과

들꽃 이야기

냇가나 산속 물가에서 자란다. '줄기가 삼각형인 고랭이풀'이라는 뜻으로 붙여진 이름이다. 낙동강에서는 큰고니가, 임진강에서는 개리가 먹이로 먹는다고 한다.

알방동사니 Cyperus difformis [사초과]

줄기는 굵다. 잎은 줄기보다 짧으며 폭 2~5mm이다. 포엽 사이에서 벋은 가지 끝에 암녹색의 잔이삭이 조밀하게 모여 머리모양 꽃차례를 이룬다. 잔이삭은 10~20개의 잔꽃으로 이루어진다.

열매는 비늘조각과 길이가 비슷하다.

* 한해살이풀
* 줄기 : 25~60cm
* 개화 : 8~10월
* 열매 : 수과

들꽃 이야기

논두렁이나 습지에서 자란다. 꽃이삭이 알처럼 둥글다고 하여 알방동사니라고 부른다. 동그랗게 생긴 꽃이삭에 많은 잔꽃이 모여 달려 동그란 모양을 이룬다.

여뀌 Persicaria hydropiper [마디풀과]

줄기는 많은 가지가 갈라지며, 털이 없다. 잎은 어긋나며 잎자루는 없다. 잎 앞면에는 털이나 검은 반점이 없고, 뒷면에는 샘점이 있다.

꽃은 줄기 끝이나 잎겨드랑이에 이삭모양 꽃차례로 달린다. 꽃받침조각은 5개이고 흰색이며 가장자리가 분홍색이다.

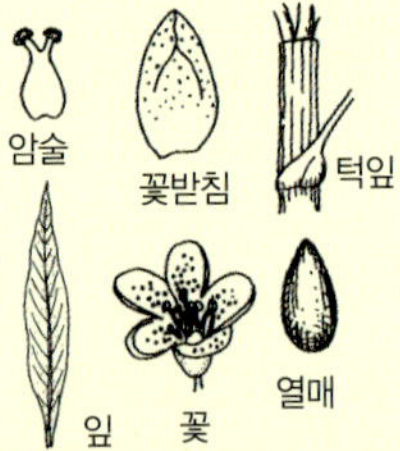

* 한해살이풀
* 줄기 : 40~100cm
* 개화 : 7~10월
* 열매 : 수과

들꽃 이야기 *냇가나 습지에서 자란다. 짓이긴 잎과 줄기를 물에 풀어서 물고기를 잡는 데 쓴다. 매운맛이 나는 잎은 조미료로 쓰기도 한다.*

올방개 Eleocharis kuroguwai [사초과]

뿌리줄기가 길게 옆으로 벋으며, 끝에 덩이뿌리가 달린다. 줄기는 속이 비어 있으며, 부드러워 잘 부러진다. 잎은 퇴화하여 잎집이 줄기 밑부분을 감싼다.

줄기 끝에 잔이삭이 1개씩 원기둥모양으로 달리고, 여러 개의 비늘조각이 나선모양으로 붙어 있다.

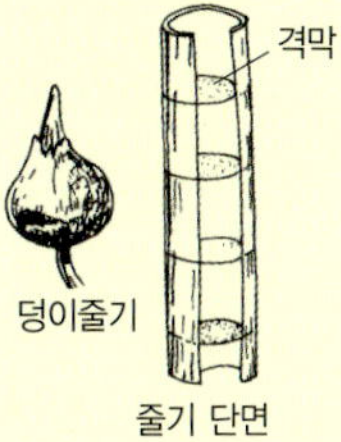

* 여러해살이풀
* 줄기 : 40~70cm
* 개화 : 7~9월
* 열매 : 수과

들꽃 이야기 *경기도, 강원도 이남의 못이나 늪에서 자란다. 뿌리를 '오우'라고 하는데, 이 뿌리로 묵을 만들어 먹기도 한다. 쫄깃쫄깃해서 씹는 맛이 좋다.*

올챙이고랭이 Scirpus juncoides [사초과]

뿌리줄기가 짧다. 줄기는 뭉쳐나며, 원기둥모양이나 뚜렷하지 않게 모가 진다. 잎은 줄기 밑부분에서 잎집을 이루며, 끝은 경사지게 잘린 듯한 모양이다.

포엽이 줄기에 이어져 줄기 옆에 꽃차례가 달린 것처럼 보인다. 1~7개의 잔이삭이 머리모양 꽃차례를 이룬다.

* 여러해살이풀
* 줄기 : 20~60cm
* 개화 : 7~10월
* 열매 : 수과

들꽃 이야기 *물가나 산기슭의 습지에서 자란다. '올챙이골'이라고도 한다. 올챙이처럼 달려 있는 잔이삭에 비유하여 올챙이고랭이라고 부른다. 고랭이는 '골짜기'를 뜻한다.*

조개풀 Arthraxon hispidus [벼과]

줄기에서 가지가 갈라져 땅을 기며 마디에서 뿌리가 난다. 잎은 피침형이며 털이 있고, 잎 가장자리는 물결모양이다.

줄기 윗부분에 가지가 방사상으로 갈라진 꽃차례를 이루며, 가지마다 백록색 또는 흑자색 잔이삭이 달린다. 잔이삭은 1개의 잔꽃이다.

* 한해살이풀
* 줄기 : 20~30cm
* 개화 : 9~10월
* 열매 : 영과

들꽃 이야기 *산속 물가나 습지에서 자란다. 명주천을 노랗게 물들이는 천연 물감으로 쓰인다. 한방에서 기침과 천식, 종기 등을 치료하는 약재로 쓴다.*

좀부처꽃 Ammannia multiflora [부처꽃과]

줄기는 모가 지고 털이 없다. 잎은 잎자루가 없이 마주나고, 긴 타원형이며 끝이 뾰족하다.

꽃은 잎겨드랑이에 집산 꽃차례를 이룬다. 꽃받침은 종모양으로 끝이 4개로 갈라지며, 꽃잎은 매우 작고 연보라색을 띤다. 열매는 꽃받침보다 길고 홍자색이다.

* 한해살이풀
* 줄기 : 15~30cm
* 개화 : 9~10월
* 열매 : 삭과

들꽃 이야기

논두렁이나 습지에서 자란다. '털부처꽃, 참부처꽃'이라고도 한다. 부처님에게 바치는 꽃이라고 하여 부처꽃이라고 한다. 털부처꽃은 잎에 가는 털이 있어 붙여진 이름이다.

큰비쑥 Artemisia fukudo [국화과]

뿌리는 굵고, 줄기에서 보랏빛 가지가 여러 개 갈라진다. 뿌리에서 난 잎은 길이 14~21cm이고, 줄기잎은 길이 9~12cm로 2~3회 깃모양으로 갈라진다.

대롱꽃만으로 이루어진 머리모양 꽃은 줄기 윗부분에 원뿔꽃차례를 이루어 밑을 향해 달린다.

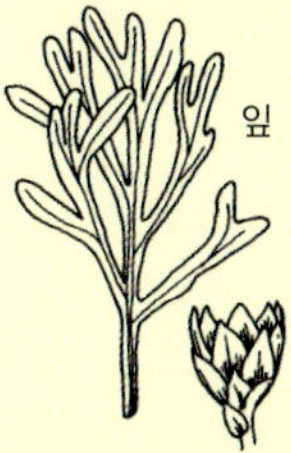

* 한두해살이풀
* 줄기 : 30~90cm
* 개화 : 8~9월
* 열매 : 수과

들꽃 이야기 *하구나 갯벌에서 자라며, 만조시에 바닷물에 잠기기도 한다. 다 자란 풀의 모습이 빗자루처럼 생겼다고 하여 비쑥이라고 부른다.*

통발 Utricularia japonica [통발과]

줄기는 물속에서 길게 뻗는다. 물속의 잎은 잘게 깃모양으로 갈라지고 많은 벌레잡이통이 달려 있다.

진한 노란색 꽃 4~7개가 느슨하게 술모양 꽃차례를 이루어 핀다. 꽃받침은 2개로 갈라지고, 며느리발톱은 밑으로 처진다. 씨방에 털이 없다.

* 여러해살이풀
* 줄기 : 2m 정도
* 개화 : 8~9월
* 열매 : 맺지 않음

들꽃 이야기 *제주도를 포함하여 전국의 못이나 논에서 자란다. 그물모양의 잎 일부가 벌레잡이통으로 변하는데, 이 벌레잡이통에 벌레가 들어가면 오므라들면서 벌레를 잡는다.*

파대가리 Kyllinga brevifolia var. leiolepis [사초과]

뿌리줄기의 마디마다 줄기가 1개씩 곧게 서고, 밑부분에 짧은 잎이 몇 개 있다.

줄기 끝에 잔이삭이 모여 머리모양 꽃차례를 이루며, 밑에 3개의 포엽이 있다. 잔이삭은 녹색이고 4개의 비늘조각에 싸이며, 잔꽃 1개만이 열매를 맺는다.

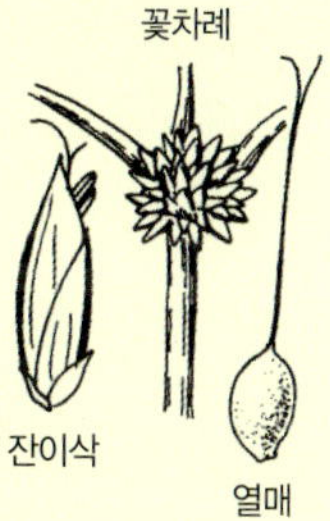

* 여러해살이풀
* 줄기 : 10~30cm
* 개화 : 7~10월
* 열매 : 수과

들꽃 이야기 *논두렁이나 풀밭 습지에서 자란다. '큰송이방동사니, 파송이골, 가시파대가리'라고도 한다. 한방에서 풀 전체 또는 뿌리를 '수오공'이라고 하여 약재로 쓴다.*

하늘지기 Fimbristylis dichotoma [사초과]

줄기는 곧게 선다. 잎은 폭 1.5~3mm이며, 잎집에 털이 있고 때로는 잎에도 털이 있다.

2~3회 갈라진 가지 끝에 잔이삭이 달린다. 잔이삭은 다갈색을 띠고 털이 없다. 암술머리는 2개로 갈라지며 암술대는 편평하고 털이 있다. 열매에 그물눈무늬가 있다.

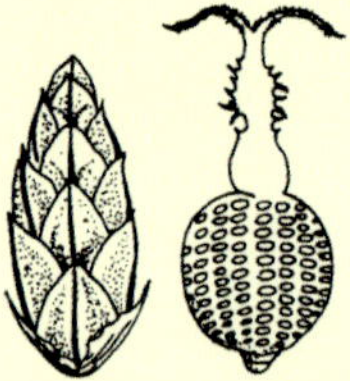

열매 잔이삭

* 한해살이풀
* 줄기 : 15~30cm
* 개화 : 7~10월
* 열매 : 수과

들꽃 이야기 *논두렁이나 산기슭의 습지에서 자란다. 비슷한 종으로 잎이 바늘모양인 가는하늘지기, 잎에 털이 많은 털하늘지기, 열매에 그물무늬가 없는 갯하늘지기 등이 있다.*

한련초 Eclipta prostrata [국화과]

줄기에 깔깔한 털이 있다. 잎은 마주나며 잎몸은 피침형이다. 잎자루는 거의 없고, 가장자리에 잔톱니가 있으며, 양면에 거친 털이 있어 껄끄럽다.

가지 끝이나 잎겨드랑이의 꽃자루에 머리모양 꽃차례가 1개씩 달린다. 혀꽃은 흰색, 대롱꽃은 연녹색이다.

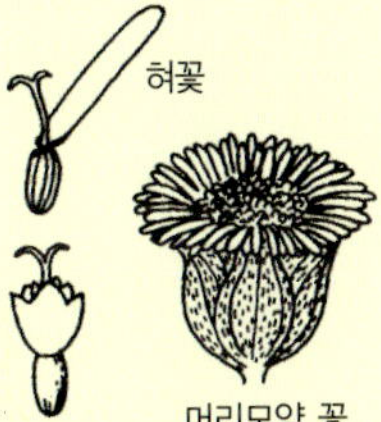

* 한해살이풀
* 줄기 : 20~60cm
* 개화 : 8~9월
* 열매 : 수과

들꽃 이야기 *제주도, 경기도 이남의 논둑이나 습지에서 자란다. 한련초의 즙이 옷이나 천에 닿으면 점점 검은색으로 변한다. 한방과 민간에서 약재로 쓴다.*

향부자 Cyperus rotundus [사초과]

풀 전체에 향기가 있고, 긴 뿌리줄기가 옆으로 벋으면서 끝부분에 덩이줄기가 달린다.

줄기는 곧게 서며, 줄기 끝에서 갈라진 가지에 잔이삭이 달린다. 20~40개의 잔꽃이 2줄로 달린 5~10개의 잔이삭은 짙은 적갈색이다. 비늘조각은 끝이 둔하다.

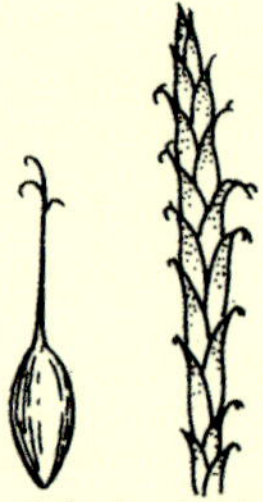

* 여러해살이풀
* 줄기 : 10~40cm
* 개화 : 7~9월
* 열매 : 수과

들꽃 이야기 *제주도와 다도해 도서 지방의 바닷가나 밭둑, 길가, 강가 모래땅에서 자란다. 한방에서 향기가 진한 기름이 들어 있는 뿌리 끝의 덩이뿌리를 '향부자'라고 하여 약재로 쓴다.*

흰개수염 Eriocaulon sikokianum [곡정초과]

잎은 여러 개가 뭉쳐나며 선모양이고 7~9맥이 있다.

꽃줄기 끝에 많은 잔꽃으로 이루어진 흰색의 머리모양 꽃차례가 달린다. 수꽃은 꽃받침과 꽃잎이 붙어 있고 6개의 수술이 있으며 꽃밥은 검은색이다. 암꽃은 1개의 꽃받침과 3개의 꽃잎, 1개의 암술이 있다.

* 여러해살이풀
* 줄기 : 15~40cm
* 개화 : 7~9월
* 열매 : 삭과

들꽃 이야기

제주도와 경기도, 강원도 이남의 평지 물가에서 자란다. '흰 꽃이 피는 개수염'이라는 뜻으로 흰개수염이라고 부른다. 개수염은 곡정초와 함께 약재로 쓴다.

[용어 도해]

▶ 잎의 유형

▶ 잎차례의 유형

▶ 잎몸 모양

▶ 잎몸 가장자리

▶ 잎몸의 윗부분 모양

▶ 잎맥의 유형

▶ 잎몸의 밑부분 모양

▶ 꽃차례의 유형

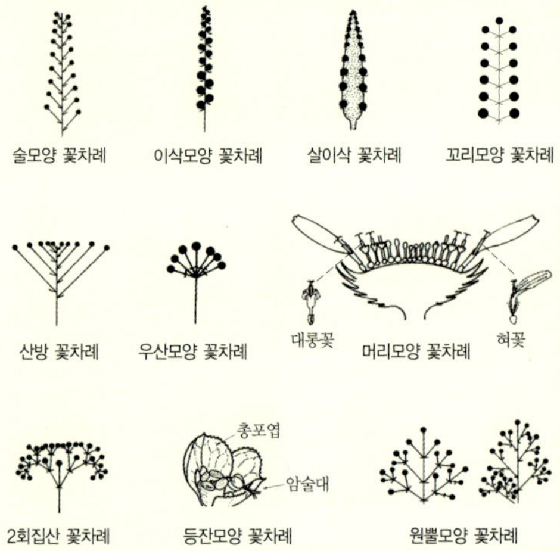

▶ 꽃의 유형

▶ 열매의 유형

포간 삭과
고추나물의 열매같이 열매 속의 각 실 사이의 격벽이 각각 갈라지는 삭과를 말한다.

개공 삭과
양귀비의 열매같이 열매 윗부분에 꽃가루를 흩어 퍼뜨리기 위한 구멍이 생기는 삭과를 말한다.

포주 삭과
질경이, 뚜껑덩굴의 열매같이 열매 윗부분이 모자모양으로 갈라지는 삭과를 말한다.

▶ 볏과 식물의 용어

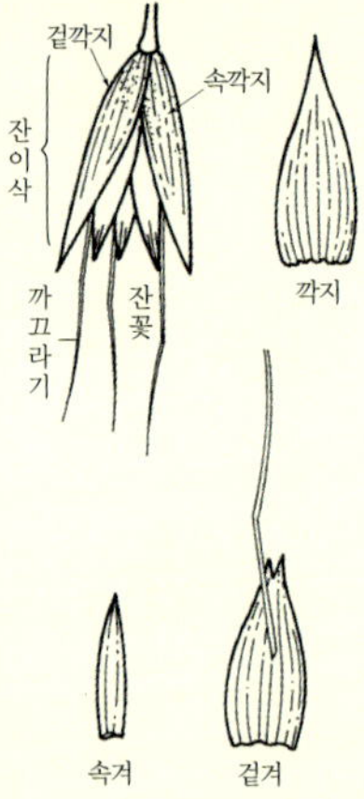

메귀리꽃의 여러 부분

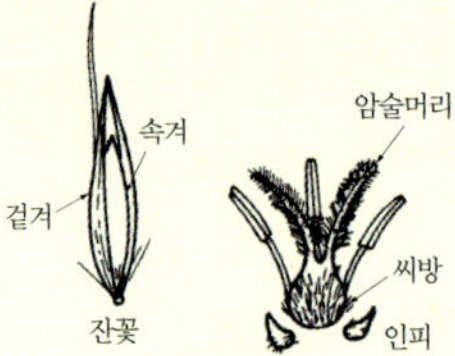

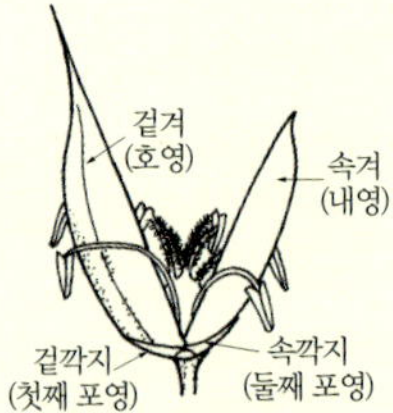

벼의 잔이삭

▶ 양치 식물의 용어

쇠뜨기

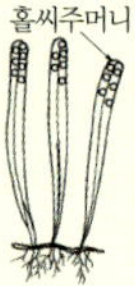

일엽초

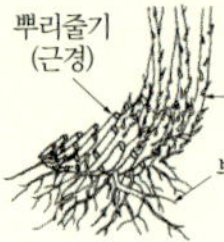

양치류 뿌리

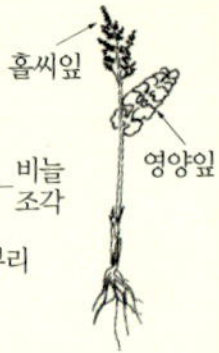

고사리삼

양치류

[찾아보기]

ㅇ

ㅈ

주머니에 쏙~

가을 겨울 꽃식물 찾기

2010년 4월 10일 인쇄
2010년 4월 15일 발행

글 · 사진 / 고경식 · 김명화 · 서재철 · 구자익
펴낸이 : 이정일

펴낸곳 : 도서출판 **일진사**
www.iljinsa.com

140-896 서울시 용산구 효창동 5-104
대표전화 : 704-1616 / 팩스 : 715-3536
등록번호 : 제3-40호(1979. 4. 2)

값 12,000원

ISBN : 978-89-429-1147-9